CW01082213

¿ESPAÑOL?
SÍ, GRACIAS

Más de 1000 palabras ilustradas,
con juegos y ejercicios

EUROPEAN LANGUAGE INSTITUTE

© 1987 **ELI** s.r.l. - **European Language Institute**
P.O. Box 6 - Recanati - Italia
Tel. 071/750701 - Fax 071/977851
Tercera reimpresión 1995

Impreso en Italia por Tecnostampa

«¿**Español? Sí, gracias**» se suma a las revistas lingüísticas mensuales publicadas por ELI, persiguiendo el mismo objetivo didáctico, es decir, enseñar los distintos idiomas de una manera agradable y divertida. Este libro, fácil y eficaz, ha sido preparado por un equipo de expertos en didáctica lingüística pero no debe ser considerado como un curso de español sino como un apoyo especialmente importante a la hora de aprender el *vocabulario*. A través de veinte *páginas ilustradas* se representan los principales aspectos de la vida cotidiana, de la *casa* a la *ciudad*, de las *profesiones* a los *animales*, etc… A cada una de estas páginas le sigue otra en la que, junto a un pequeño vocabulario ilustrado dedicado sobre todo a verbos y adjetivos, se proponen diversos juegos y *ejercicios* que prevén el uso de las palabras ilustradas en la página anterior. A veces se trata de ejercicios en los que el lector, al tener que completar una frase o elegir la respuesta adecuada a la pregunta, tiene la posibilidad de colocar y aprender la palabra en su justo contexto.

La didáctica lingüística moderna concede cada vez mayor importancia a la *visualización*, con la seguridad de que un vocablo ilustrado se asimila de una manera más inmediata y duradera que una palabra explicada con otras palabras. Éste es el criterio que ha presidido la elaboración de este libro que puede ser utilizado por los estudiantes también en *casa*, especialmente *durante las vacaciones*, para hacer un útil y al mismo tiempo *agradable repaso* de todo lo que han aprendido durante el curso. «¿**Español? Sí, gracias**» es ideal como lectura extraescolar ya que se puede leer y utilizar sin la obligación de seguir un orden concreto con lo que el lector puede elegir los temas que más le interesen. En las últimas páginas de «¿**Español? Sí, gracias**» se pueden comprobar las soluciones de los juegos y el correcto desarrollo de los ejercicios.

LA NATURALEZA

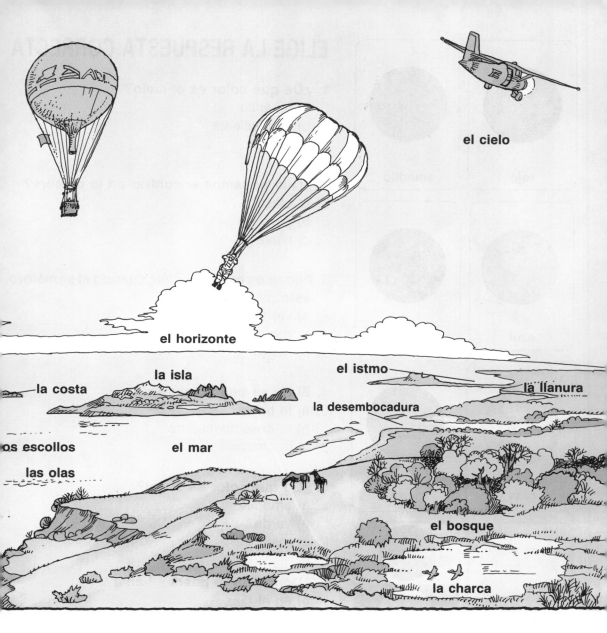

el cielo

el horizonte

la isla

el istmo

la costa

la desembocadura

la llanura

os escollos

el mar

las olas

el bosque

la charca

En cada uno de estos cuatro grupos hay una palabra que no guarda relación con las otras. Subráyala y ponla junto al grupo al que pertenece.

1. cumbre - montaña - hoja - pendiente - roca ....

2. río - arroyo - istmo - cascada - desembocadura ....

3. playa - bahía - costa - escollo - lago ....

4. árbol - flor - seto - nieve - mata ....

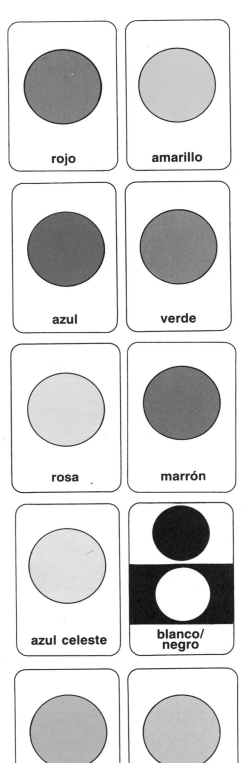

rojo amarillo
azul verde
rosa marrón
azul celeste blanco/negro
violeta gris

ELIGE LA RESPUESTA CORRECTA

1. ¿De qué color es el cielo?
☐ a) amarillo
☐ b) azul celeste
☐ c) marrón

2. ¿Qué podemos encontrar en la cumbre?
☐ a) olas
☐ b) escollos
☐ c) nieve

3. Podemos cruzar la calle cuando el semáforo está...
☐ a) verde
☐ b) rojo
☐ c) negro

4. El río se une al mar en...
☐ a) la bahía
☐ b) la desembocadura
☐ c) la charca

5. ¿De qué color es el sol?
☐ a) amarillo
☐ b) verde
☐ c) rosa

6. ¿Dónde no te puedes bañar?
☐ a) en el mar
☐ b) en el río
☐ c) en el campo de cultivo

7. ¿Cuál de estas palabras no es un color?
☐ a) blanco
☐ b) gris
☐ c) ola

8. Los caballos corren por...
☐ a) el lago
☐ b) la llanura
☐ c) el arroyo

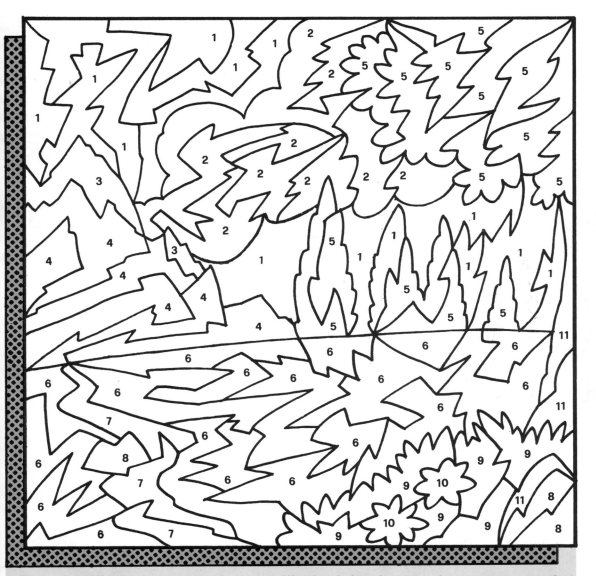

Pinta las distintas zonas de este dibujo del color que les corresponda según su número. 1. *azul celeste*, 2. *rosa*, 3. *blanco*, 4. *violeta*, 5. *verde*, 6. *marrón*, 7. *azul*, 8. *gris*, 9. *amarillo*, 10. *rojo*, 11. *negro*.
Completa la descripción de lo que aparece en el dibujo utilizando las palabras que has aprendido en la página anterior.

El c _ _ _ _ es a _ _ _ c _ _ _ s _ _. En la c _ _ b _ _

de la m _ _ _ _ ñ _ hay n _ _ _ _ _. Un r _ _ baja de la montaña

y atraviesa la ll _ _ _ _ _. Hay muchos á _ _ _ _ _ _ _ v _ _ _ _ _.

Entre las m _ _ _ _ se ven f _ _ _ _ _ r _ _ _ _ _.

LA CIUDAD

la antena

el rascacielos

la autopista

el campanario

la iglesia

la torre

el ayuntamiento

el monumento

la escalinata

la fuente

el edificio

la tienda

el letrero

el quiosco

la estación
de servicio

la acera

el
cementerio

el
escaparate

los
indicadores

Completa las siguientes frases utilizando las palabras de esta página.

1. Los peatones van siempre por la _ _ _ _ _

2. La gente compra el periódico en el _ _ _ _ _ _ _ _

3. Para entrar en la iglesia hay que subir la _ _ _ _ _ _ _ _ _ _ _

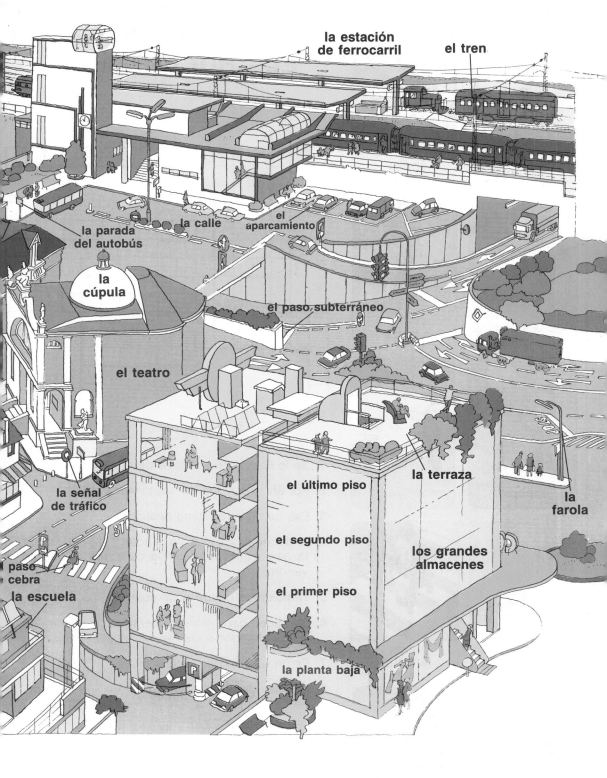

la estación
de ferrocarril

el tren

la parada
del autobús

la calle

el
aparcamiento

la cúpula

el paso subterráneo

el teatro

el último piso

la terraza

la señal
de tráfico

la farola

el segundo piso

los grandes
almacenes

el primer piso

paso
cebra

la escuela

la planta baja

4. Los peatones cruzan la calle por el _ _ _ _ _ de _ _ _ _ _ _

5. He dejado el coche en el _ _ _ _ _ _ _ _ _ _ _ _ _

6. Vamos de compras a los _

andar

correr

¿ERES CAPAZ DE HACER EL CRUCIGRAMA?

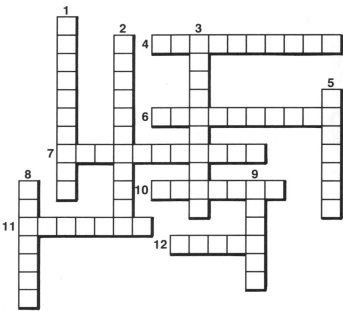

fotografiar

visitar un museo

esperar

encontrarse

aparcar

cruzar la calle

tirar

echar la carta

1. Se le llama así a la torre de la iglesia.

2. Por ahí cruzamos los peatones la calle.

3. Ése es nuestro último destino.

4. Lo tienen casi todas las tiendas y sirve para que la gente que pasa por la calle vea lo que se vende.

5. También se puede decir colegio.

6. Se hacen para recordar personas o hechos de especial importancia, reyes, artistas, etc...

7. Es un edificio de muchos pisos.

8. Las hay de alimentación, de ropa, de zapatos, etc...

9. Si andas muy deprisa, lo que haces es...

10. Donde compramos el periódico.

11. Lo que uno hace cuando llega antes que el otro.

12. Para eso sirven las piernas.

Sigue la linea, desde la flecha de entrada a la de salida, sin pasar dos veces por el mismo sitio. Cada vez que encuentres un dibujo, escribe a su lado el verbo al que se refiere.

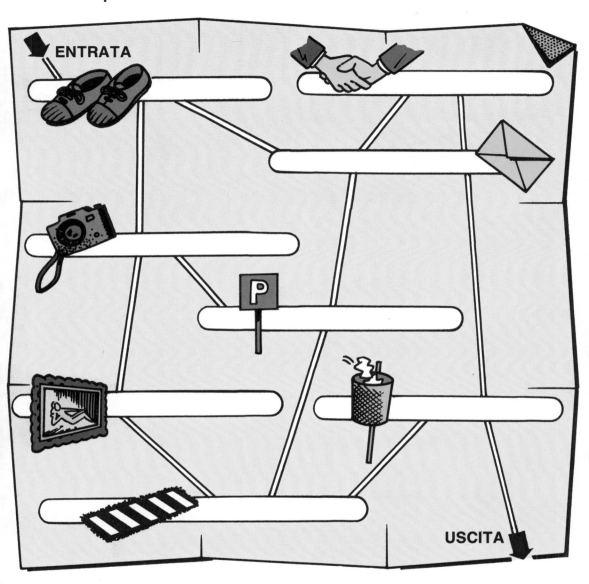

ENTRATA

USCITA

Ahora, ayudándote con las letras que ya están escritas, coloca los verbos en este esquema y, si no te has equivocado, aparecerá el nombre de una ciudad española en la columna del asterisco.

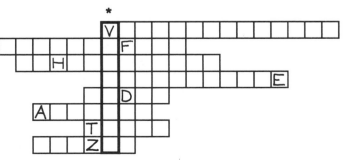

EL AEROPUERTO Y LA ESTACIÓN DE FERROCARRIL

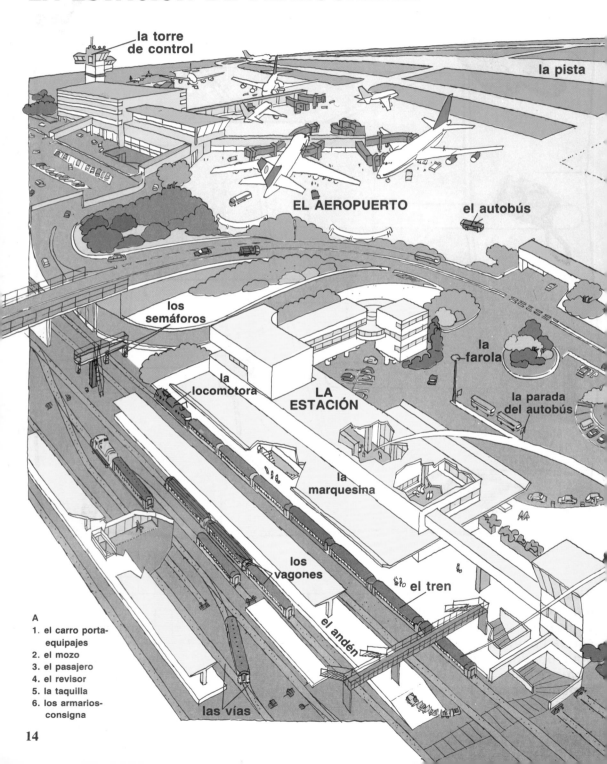

la torre de control

la pista

EL AEROPUERTO

el autobús

los semáforos

la farola

la locomotora

LA ESTACIÓN

la parada del autobús

la marquesina

los vagones

el tren

el andén

las vías

A
1. el carro porta-equipajes
2. el mozo
3. el pasajero
4. el revisor
5. la taquilla
6. los armarios-consigna

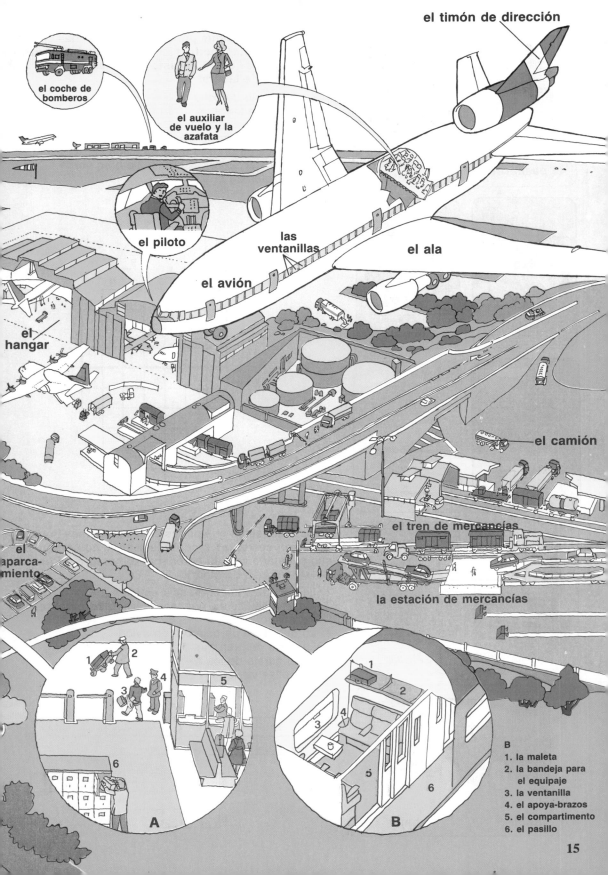

el timón de dirección

el coche de bomberos

el auxiliar de vuelo y la azafata

el piloto

las ventanillas

el ala

el avión

el hangar

el camión

el tren de mercancías

el aparcamiento

la estación de mercancías

A

B

B
1. la maleta
2. la bandeja para el equipaje
3. la ventanilla
4. el apoya-brazos
5. el compartimento
6. el pasillo

15

el pasaporte

hacer la maleta

salir

llegar

volar

aterrizar

viajar

saludar

subir   **bajar**

Si las respuestas que pones en las columnas verticales son correctas, podrás leer en la columna horizontal, señalada con un asterisco, el nombre del aeropuerto de Madrid.

1. Lo contrario de bajar
2. Posarse en tierra un avión
3. Donde vamos a coger el avión
4. Las distintas divisiones de un tren
5. El que va en un tren o en un avión
6. Puede estar en rojo, en amarillo o en verde
7. Donde aterriza el avión

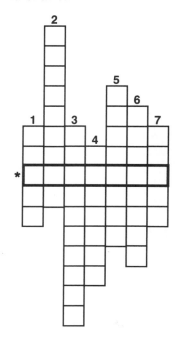

Si las respuestas que pones en las columnas horizontales son correctas, podrás leer en la columna vertical, señalada con un asterisco, el nombre de una de las estaciones de Madrid.

1. La hacemos antes de salir de viaje
2. Es el documento que nos hace falta para salir al extranjero
3. Lo que hace un pájaro o un avión
4. La parte del tren que tira de los vagones
5. Es el garaje de los aviones
6. Con ellas vuelan los pájaros y los aviones

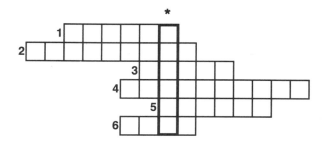

Completa los espacios en blanco con las palabras que corresponden a los dibujos.

He hecho la _ _ _ _ _ _ _ y he cogido

el _ _ _ _ _ _ _ _ _ _ _; ahora voy a coger

un _ _ _ _ _ _ _ para ir

al _ _ _ _ _ _ _ _ _ _. Me gusta

mucho mirar por la _ _ _ _ _ _- _ _

del _ _ _ _ _ _ y hablar con

la _ _ _ _ _ _ _ que es siempre tan amable.

Me gustaría ser un _ _ _ _ _ _

o trabajar en la _ _ _ _ _ _ _ _ _ _ _ _

¡Oh, no! ¡Se me ha olvidado el _ _ _ _ _ _ _!

DE VIAJE

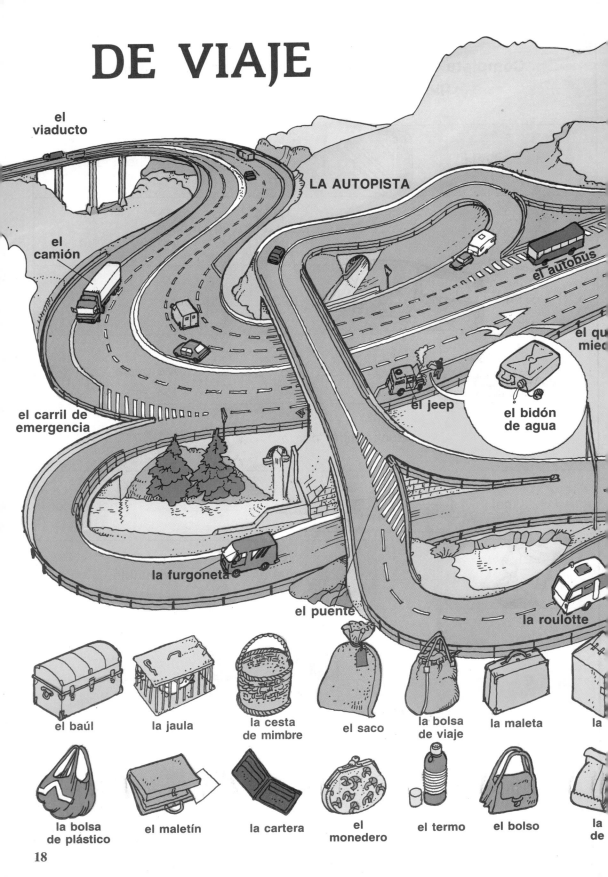

el viaducto

LA AUTOPISTA

el camión

el autobús

el carril de
emergencia

el qu
mied

el jeep

el bidón
de agua

la furgoneta

el puente

la roulotte

el baúl

la jaula

la cesta
de mimbre

el saco

la bolsa
de viaje

la maleta

la

la bolsa
de plástico

el maletín

la cartera

el
monedero

el termo

el bolso

la
de

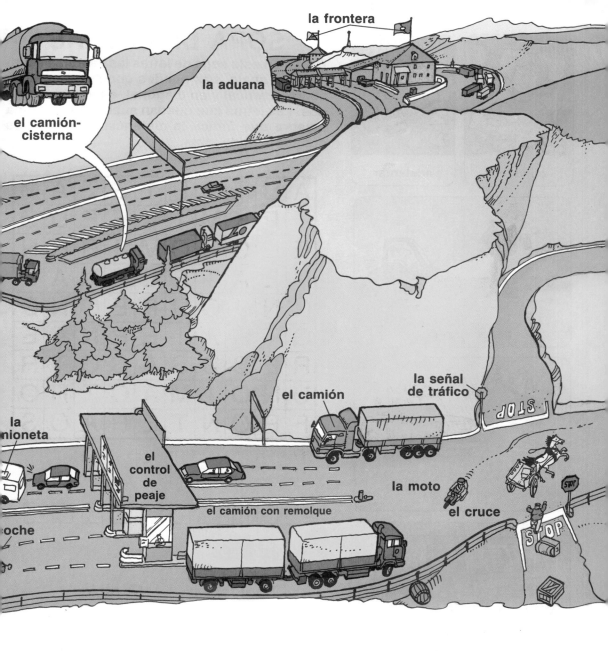

el camión-cisterna

la frontera

la aduana

la señal de tráfico

el camión

la ...nioneta

el control de peaje

la moto

el camión con remolque

el cruce

...oche

Completa el siguiente texto rellenando los espacios en blanco con las palabras que faltan. Todas ellas las puedes encontrar en esta página.

Me gusta mucho ir de _ _ _ _ _. Mi padre tiene un c _ _ _ _ _ muy grande en el que

podemos meter varias c _ _ _ _ _, dos m _ _ _ _ _ _ _, la j _ _ _ _ _ del pájaro y

el b _ _ _. Va tan lleno que parece un c _ _ _ _ _ _. Luego cogemos la

a _ _ _ _ _ _ _ _ _ _ y hacemos un viaje tranquilo, atravesando p _ _ _ _ _ _ _ y

v _ _ _ _ _ _ _ _, sin la preocupación de los c _ _ _ _ _ o de los semáforos.

conducir

adelantar

SOPA DE LETRAS

Busca en esta sopa de letras las palabras escritas más abajo. Las puedes encontrar en horizontal, vertical y en diagonal, en ambos sentidos. Las letras que quedan sueltas forman una palabra que indica la distancia que recorres cuando vas de viaje.

A	U	T	O	P	I	S	T	A	M
T	P	K	M	I	L	E	E	D	O
E	U	C	O	O	M	J	R	U	N
N	E	A	T	E	L	A	M	A	E
O	N	J	O	U	P	E	O	N	D
G	T	A	A	I	E	P	N	A	E
R	E	B	D	S	A	C	O	T	R
U	N	O	I	M	A	C	T	R	O
F	R	O	N	T	E	R	A	O	S

☐ ☐ ☐ ☐ ☐ ☐ ☐ ☐ ☐ ☐

hacer auto-stop

llamar un taxi

☐ autopista   ☐ rápido

☐ termo   ☐ camión

☐ maleta   ☐ frontera

☐ moto   ☐ monedero

☐ baúl   ☐ puente

☐ furgoneta   ☐ caja

☐ aduana   ☐ peaje

☐ lento   ☐ saco

lento

rápido

coger el autobús

¿Quieres saber lo que aparecerá en este dibujo? Une los puntos por orden numérico pero... ¡ciudado! Tienes que saltarte los números de las palabras que no estén dibujadas.

1. roulotte
2. monedero
3. cartera
4. termo
5. viaducto
6. quita-miedos
7. saco
8. camioneta
9. puente
10. jeep
11. control de peaje
12. cesta
13. jaula
14. bolsa
15. señal
16. maleta
17. taxi
18. camión-cisterna
19. coche
20. remolque
21. baúl
22. moto
23. cruce
24. camión
25. autobús

TRABAJANDO

el cocinero

la lechera

la técnico de ordenadores

el director

el botones

el empleado

el electricista

la secretaria

la mecanógrafa

la telefonista

el técnico de televisión

la niñera

la camarera

la cajera

el camarero

el cartero

el taxista

el mozo

el p mu

el jardine

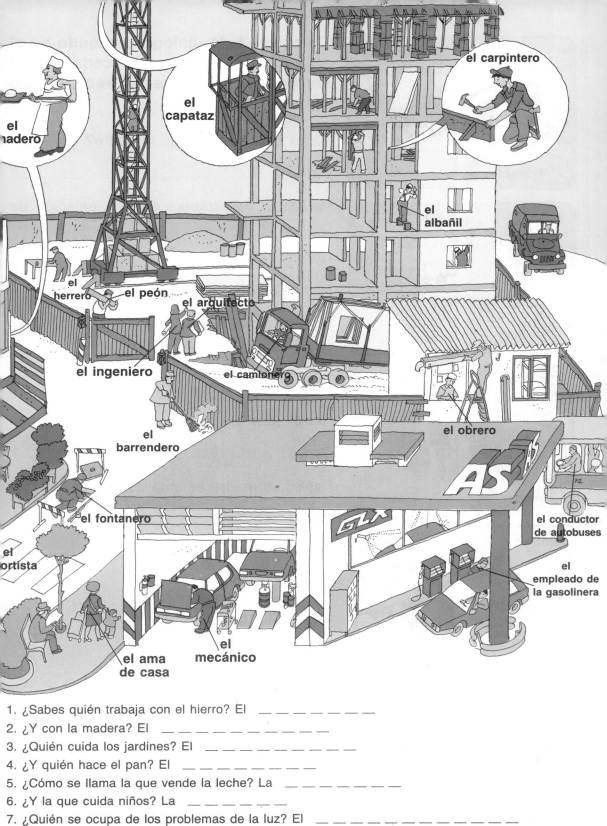

el panadero

el capataz

el carpintero

el albañil

el herrero

el peón

el arquitecto

el ingeniero

el camionero

el obrero

el barrendero

el fontanero

el conductor de autobuses

el empleado de la gasolinera

el deportista

el ama de casa

el mecánico

1. ¿Sabes quién trabaja con el hierro? El _ _ _ _ _ _ _ _

2. ¿Y con la madera? El _ _ _ _ _ _ _ _ _ _ _

3. ¿Quién cuida los jardines? El _ _ _ _ _ _ _ _ _ _ _

4. ¿Y quién hace el pan? El _ _ _ _ _ _ _ _ _ _

5. ¿Cómo se llama la que vende la leche? La _ _ _ _ _ _ _ _

6. ¿Y la que cuida niños? La _ _ _ _ _ _ _

7. ¿Quién se ocupa de los problemas de la luz? El _ _ _ _ _ _ _ _ _ _ _ _ _ _ _

8. ¿Quién te lleva las cartas a casa? El _ _ _ _ _ _ _ _

23

trabajar

llevar

dirigir el tráfico

proyectar

vender

comprar

arreglar

echar gasolina

tirar

empujar

Completa este dialogo poniendo en el sitio que le corresponde, cada una de las frases que hay en el recuadro de debajo.

Pablo: ¿En qué trabaja tu padre?

Carlos: .... ¿..............................?

Pablo: El mío trabaja en una estación de servicio.

Carlos: ....

Pablo: Sí, pero no le gusta su trabajo.

Carlos: ¿..?

Pablo: Le gusta mucho viajar...

Carlos: ¿..?

Pablo: ¡Eso sí que le gustaría!

Carlos: ¿..?

Pablo: Mi madre es ama de casa.

Carlos: ....

Pablo: ¿Es mecanógrafa?

Carlos: ....

Pablo: ¿Le gusta?

Carlos: ....

¿Y tu madre?/¿Qué le gustaría hacer?/Sí, está contenta./Es arquitecto. ¿Y el tuyo?/Sí, en una oficina./O sea, en una gasolinera./Pues la mía escribe a máquina./¿Y por qué no se hace conductor de autobuses?

¡TODO EL MUNDO A TRABAJAR!

Partiendo de la casilla con el nombre de la profesión, tienes que llegar a la que tiene el utensilio de trabajo correspondiente. Si sigues el camino correcto, irás pasando por una serie de letras que te dirán lo que cada uno de ellos hace habitualmente.

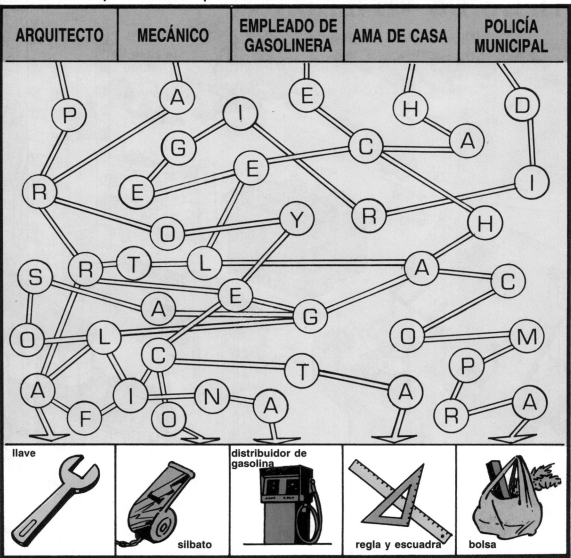

| ARQUITECTO | MECÁNICO | EMPLEADO DE GASOLINERA | AMA DE CASA | POLICÍA MUNICIPAL |

llave · silbato · distribuidor de gasolina · regla y escuadra · bolsa

Ahora completa estas frases usando las palabras de este juego:

1) El arquitecto P _ _ _ _ _ _ _ el edificio con la R _ _ _ _ _ y la E _ _ _ _ _- _ _ _.

2) El mecánico A _ _ _ _ _ _ el motor del coche con la L L _ _ _ _.

3) El empleado de la gasolinera tiene un D _ _ _ _ _ _ _ _ _ _ _ _ con el que E _ _ _ _ _ _ _ _ _ _ _ _ a los coches.

4) El ama de casa H _ _ _ _ _ _ _ _ _ _ _ _ _ _ en el supermercado y la mete en la B _ _ _ _.

5) El policía municipal D _ _ _ _ _ _ _ _ _ _ _ _ _ _ _ de la ciudad usando el S _ _ _ _ _ _

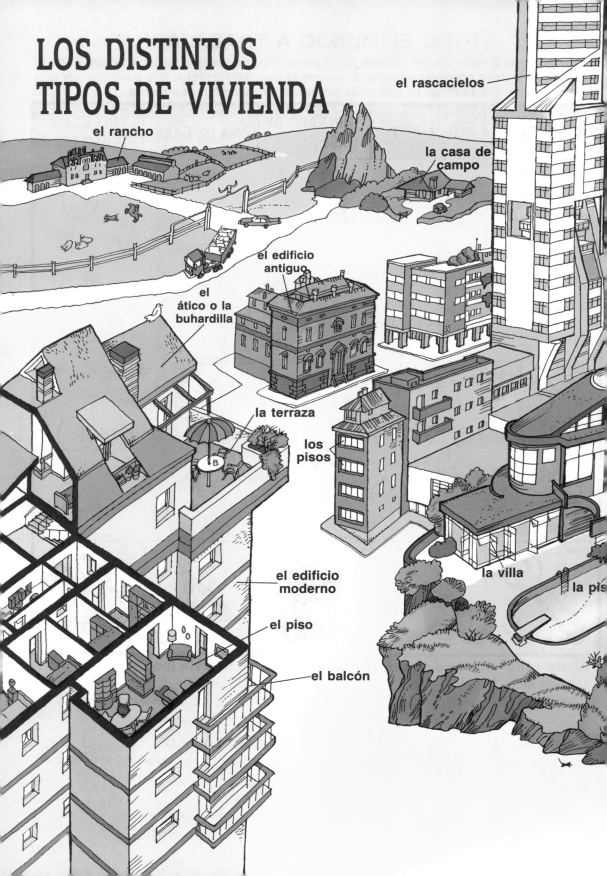

LOS DISTINTOS TIPOS DE VIVIENDA

el rancho

el rascacielos

la casa de campo

el edificio antiguo

el ático o la buhardilla

la terraza

los pisos

el edificio moderno

el piso

el balcón

la villa

la pis

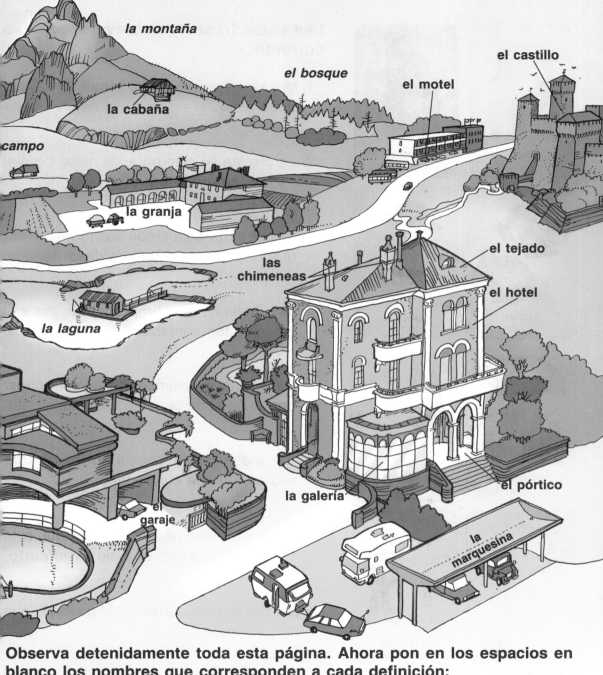

la montaña

el castillo

el bosque

el motel

la cabaña

campo

la granja

el tejado

las chimeneas

el hotel

la laguna

la galería

el pórtico

el garaje

la marquesina

Observa detenidamente toda esta página. Ahora pon en los espacios en blanco los nombres que corresponden a cada definición:

1. Edificio con torres fortificado   _ _ _ _ _ _ _ _

2. El balcón grande del último piso   _ _ _ _ _ _ _

3. Edificio con muchos, muchos pisos   _ _ _ _ _ _ _ _ _ _ _

4. Hotel de carretera   _ _ _ _ _

5. Para guardar el coche   _ _ _ _ _ _

6. Por ahí sale el humo   _ _ _ _ _ _ _

pequeño/ grande

corto/ largo

sucio/ limpio

nuevo/ viejo

ordenado/ desordenado

caliente/ frío

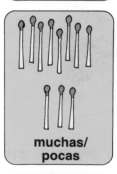

muchas/ pocas

estrecho/ ancho

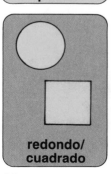

redondo/ cuadrado

claro/ oscuro

Lee estas frases y subraya el adjetivo correcto.

1. Mi casa es **nueva/vieja**: la han construido hace poco.

2. La piscina es sólo para los niños porque es muy **grande/pequeña**.

3. Mi hermana deja todos sus juguetes por el suelo, es muy **ordenada/desordenada**.

4. Este hotel es muy **limpio/sucio**; por eso estamos tan contentos.

5. En vacaciones, siempre me llevo **muchos/ pocos** libros porque me gusta mucho leer.

6. La mesa de la cocina es **cuadrada/ redonda**, tiene cuatro lados.

7. Hemos tardado poco en llegar aquí, sólo 10 minutos. Ha sido un viaje **largo/corto**.

8. ¡Ponme un poco de hielo! Me gusta el agua muy **caliente/fría**.

9. El garaje de mi casa es bastante **ancho/ estrecho**, caben cuatro coches.

10. ¡Qué **clara/oscura** está esta habitación. Enciende la luz, no se ve nada.

Completa las siguientes palabras poniendo las letras que faltan. Después tienes que oscurecer las zonas cuyo número corresponda a palabras dibujadas aquí al lado.

1. T E R R A Z A
2. E _ _ F _ C _ _ _
3. G _ L _ R _ _ _
4. C _ B _ Ñ _
5. P _ S C _ _ _ _
6. L _ G _ _ A
7. C _ _ _ T _ L _ _ _
8. G _ R _ J _
9. B _ L _ _ N
10. G _ _ _ N J _
11. M _ T _ _ _
12. M _ _ Q _ _ _ S _ N _
13. B _ S Q _ _ _
14. R _ _ _ C _ C I _ L _ _ _

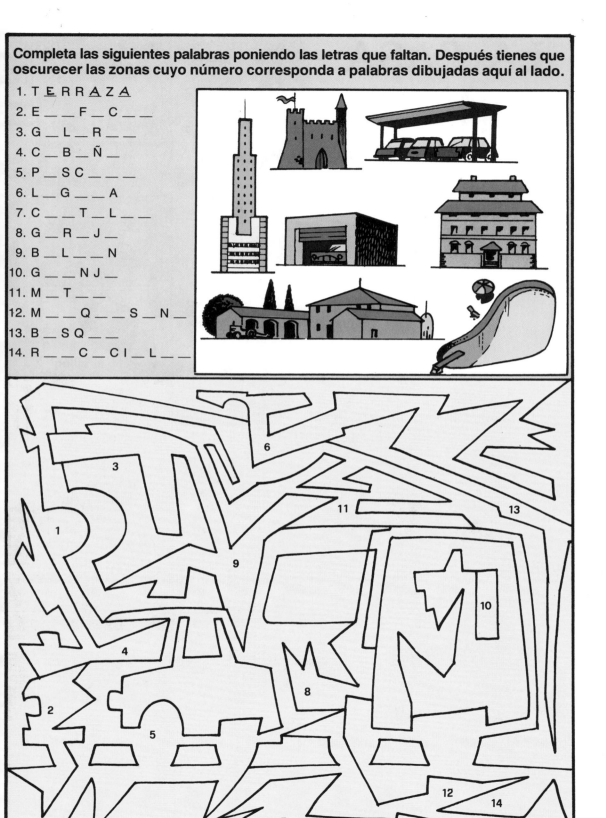

29

LA CASA

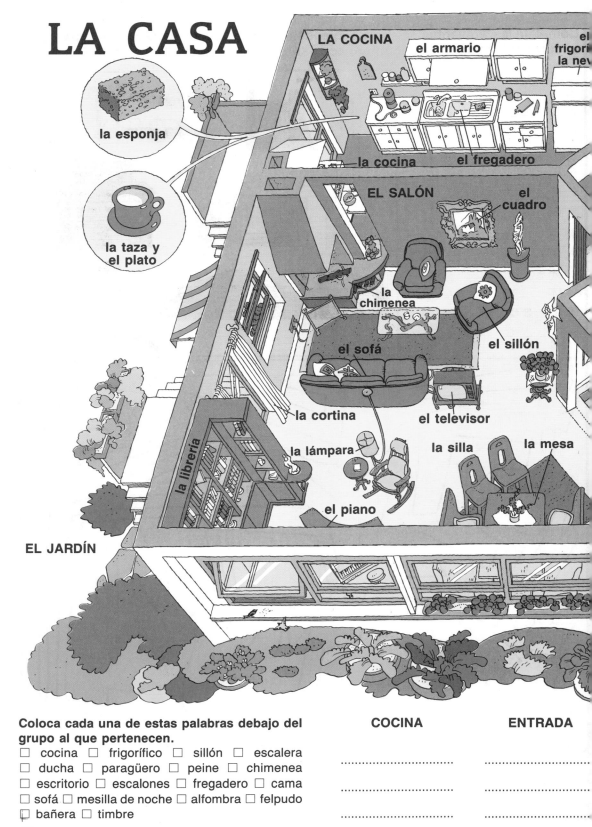

LA COCINA

el armario

el frigorí...
la nev...

la esponja

la taza y
el plato

la cocina

el fregadero

EL SALÓN

el cuadro

la chimenea

el sofá

el sillón

la cortina

el televisor

la lámpara

la silla

la mesa

la librería

el piano

EL JARDÍN

Coloca cada una de estas palabras debajo del grupo al que pertenecen.

☐ cocina ☐ frigorífico ☐ sillón ☐ escalera
☐ ducha ☐ paragüero ☐ peine ☐ chimenea
☐ escritorio ☐ escalones ☐ fregadero ☐ cama
☐ sofá ☐ mesilla de noche ☐ alfombra ☐ felpudo
☐ bañera ☐ timbre

COCINA

....

....

....

ENTRADA

....

....

....

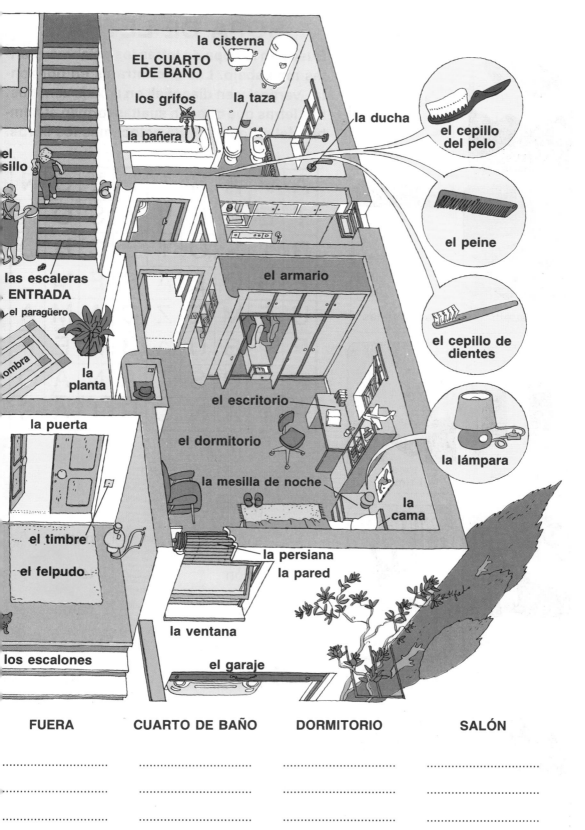

la cisterna

EL CUARTO DE BAÑO

los grifos

la taza

la bañera

la ducha

el cepillo del pelo

el peine

el cepillo de dientes

la lámpara

el ...sillo

las escaleras

ENTRADA

el paragüero

...ombra

la planta

el armario

el escritorio

el dormitorio

la mesilla de noche

la cama

la puerta

el timbre

el felpudo

la persiana

la pared

la ventana

los escalones

el garaje

FUERA	CUARTO DE BAÑO	DORMITORIO	SALÓN
....	....	....	....
....	....	....	....
....	....	....	....

el tejado

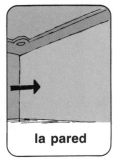

la pared

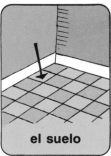

el suelo

las ventanas

la puerta

tocar el timbre

acostarse

despertarse

levantarse

lavarse

SOPA DE LETRAS

Busca en la sopa de letras las palabras escritas más abajo. Las encontrarás en horizontal, vertical y en diagonal, en ambos sentidos. Las letras que quedan sueltas forman el nombre del mueble donde colocamos los libros.

A	P	A	S	I	L	L	O	N
T	E	L	E	V	I	S	O	R
R	I	F	O	T	E	C	H	O
E	N	O	L	A	S	E	M	L
U	E	M	E	Z	C	A	M	A
P	I	B	U	A	B	R	E	F
P	E	R	S	I	A	N	A	O
P	I	A	N	O	R	I	A	S

- ☐ televisor
- ☐ alfombra
- ☐ salón
- ☐ suelo
- ☐ piano
- ☐ persiana
- ☐ peine
- ☐ taza
- ☐ pasillo
- ☐ puerta
- ☐ techo
- ☐ cama
- ☐ casa
- ☐ sofá
- ☐ mesa
- ☐ sillón

_ _ _ _ _ _ _ _

En este dibujo están escondidos los cinco objetos de aquí arriba. Búscalos y después completa las frases que describen la situación de los objetos que has encontrado.

1. La l _ _ _ _ _ _ _ está debajo del t _ _ _ _ _ _ _ _ _ _.
2. La t _ _ _ _ está al lado de la p _ _ _ _ _ _.
3. El p _ _ _ _ _ está sobre la c _ _ _ _ _ _ _.
4. El c _ _ _ _ _ _ _ _ está entre la p _ _ _ _ _ _ y el
   t _ _ _ _ _ _ _ _ _.
5. El c _ _ _ _ _ _ _ de d _ _ _ _ _ _ _ está debajo del s _ _ _ _.

los platos

el cuchillo

la cucharilla

la cuchara   el tenedor

EL AUTOSERVICIO

la fruta

el menú

las bebidas

la copa

el vaso

la cola

la lata

los billetes

el dinero

la cajera

las monedas

la mesa

la silla

el mantel

el pan

34

el sacacorchos

el cocinero

la comida

la bandeja

el aceite y el vinagre

el mostrador

el cliente

el camarero

la camarera

la servilleta

el servilletero

la fruta

el mandil

la macedonia

el dulce

¿Te has fijado bien en todos los dibujos? ¿Sí? Entonces completa este texto con las palabras correspondientes.

Hoy he ido a comer a un aut _ _ _ _ _ _ _-_ _ _ _ con mis padres. Como había muchos c _ _ _ _ _ _ _ _ _, hemos tenido que hacer c _ _ _. Luego, mi padre ha pagado en la c _ _ _ y cada uno ha cogido una b _ _-_ _ _ _ _ con pl _ _ _ _, cu _ _ _ _ ll _, c _ _ _ _ _ _ _ y t _ _ _ _ _ _ _. Después hemos elegido la c _ _ _ _ _ _ y nos hemos sentado en una m _ _ _.

el café

35

cocinar

comer

masticar

beber

cortar

echar

servir

estar a régimen

tener hambre

tener sed

Pedro le está describiendo a su hermana, que todavía no sabe leer, lo que ve en la escena del autoservicio. Sin embargo, no todo lo que dice es verdad. Compara lo que está diciendo con el dibujo de la página anterior y marca con una cruz si es verdadero o falso.

	VERDA-DERO	FALSO
1. Hay cuatro personas sentadas en la mesa	☐	☐
2. La cajera lleva un vestido amarillo	☐	☐
3. La señora que está sentada en la mesa tiene sed	☐	☐
4. En el mostrador hay fruta y bebidas	☐	☐
5. La mesa no tiene mantel	☐	☐
6. El señor rubio con gafas está tomando un café	☐	☐
7. La camarera no lleva mandil	☐	☐
8. Un joven está pagando la cuenta en la caja	☐	☐
9. El cocinero está preparando la comida	☐	☐
10. Un padre con su hijo están mirando el menú	☐	☐
11. La cajera ha salido	☐	☐
12. El camarero lleva una bandeja en la mano derecha	☐	☐

En el dibujo de la derecha faltan 10 detalles que sí están en el de la izquierda. ¿Sabes cuáles son?

la ☐C☐ ☐ ☐ ☐

el ☐P☐ ☐ ☐

el ☐A☐ ☐ ☐ ☐ ☐ ☐   y el
☐V☐ ☐ ☐ ☐ ☐ ☐

el ☐V☐ ☐ ☐ ☐

el ☐C☐ ☐ ☐ ☐ ☐ ☐ ☐ ☐

la ☐C☐ ☐ ☐ ☐ ☐ ☐ ☐

el ☐M☐ ☐ ☐ ☐

la ☐S☐ ☐ ☐ ☐ ☐ ☐ ☐ ☐ ☐

el ☐C☐ ☐ ☐ ☐ ☐ ☐ ☐

el ☐T☐ ☐ ☐ ☐ ☐ ☐ ☐

EL SUPERMERCADO

la furgoneta

el monedero

el dinero

la entrada

la salida

las cajas

la car

las bebidas

las plantas

el carro

pa

la caja

la bolsa

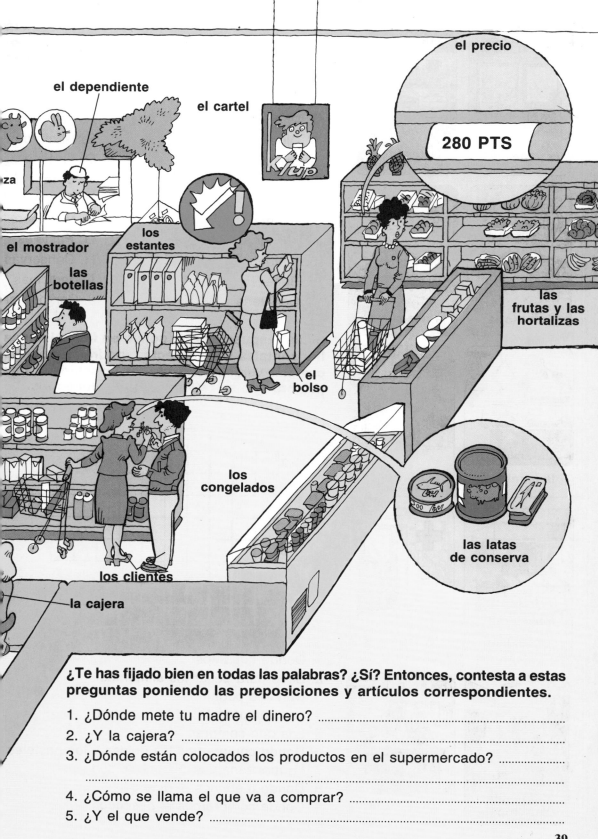

el precio

280 PTS

el dependiente

el cartel

el mostrador

los estantes

las botellas

las frutas y las hortalizas

el bolso

los congelados

las latas de conserva

los clientes

la cajera

¿Te has fijado bien en todas las palabras? ¿Sí? Entonces, contesta a estas preguntas poniendo las preposiciones y artículos correspondientes.

1. ¿Dónde mete tu madre el dinero? ....

2. ¿Y la cajera? ....

3. ¿Dónde están colocados los productos en el supermercado? ....

   ....

4. ¿Cómo se llama el que va a comprar? ....

5. ¿Y el que vende? ....

la panadería

la confitería

la trutería

la pescadería

la carnicería

la floristería

el quiosco

la farmacia

la tienda de ropa

la librería

Cada palabra de la primera columna está relacionada con una de la segunda. Lee atentamente todas las palabras y después únelas con una flecha.

Ej.: 1-D

1. Pagar
2. Dinero
3. Quiosco
4. Farmacia
5. Latas
6. Cliente
7. Comer
8. Plátano
9. Beber
10. Confitería

A. Periódico
B. Hambre
C. Frutería
D. Caja
E. Sed
F. Monedero
G. Pasteles
H. Conservas
I. Medicinas
J. Comprador

Si las respuestas que pones en las columnas horizontales son correctas, podrás leer en la columna vertical señalada con un asterisco, una palabra que se refiere a lo que comemos.

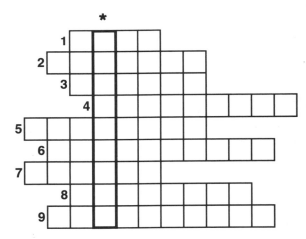

1. Donde pagamos
2. Sirve para pesar los alimentos
3. Con eso pagamos
4. Las compramos en la farmacia
5. Los que compran
6. Donde compramos los dulces y los pasteles
7. La manzana y el plátano lo son
8. Donde metemos el dinero
9. Donde compramos el pescado

40

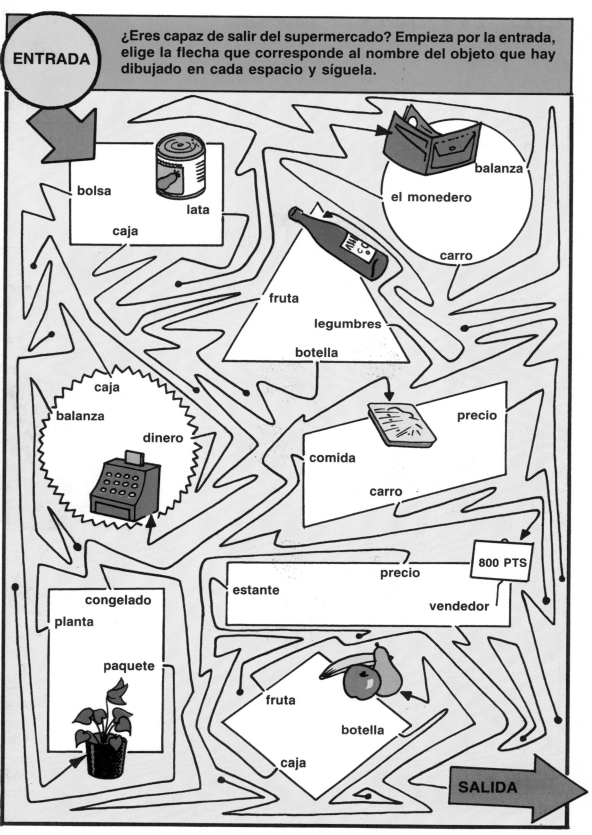

ENTRADA

¿Eres capaz de salir del supermercado? Empieza por la entrada, elige la flecha que corresponde al nombre del objeto que hay dibujado en cada espacio y síguela.

bolsa

lata

caja

balanza

el monedero

carro

fruta

legumbres

botella

caja

balanza

dinero

precio

comida

carro

precio

800 PTS

estante

vendedor

congelado

planta

paquete

fruta

botella

caja

SALIDA

EL MERCADO

las peras

la uva

las castaña

las manzanas

los melocotones

los limones

las fresas

las cerezas

las naranjas

los higos

el melón

la sandía

los plátanos

la piña

el helado

el pan

las tartas

los bombone

los chupa-chu

la mermelad

el chocolate

las rosquillas

los pasteles

los caramelos

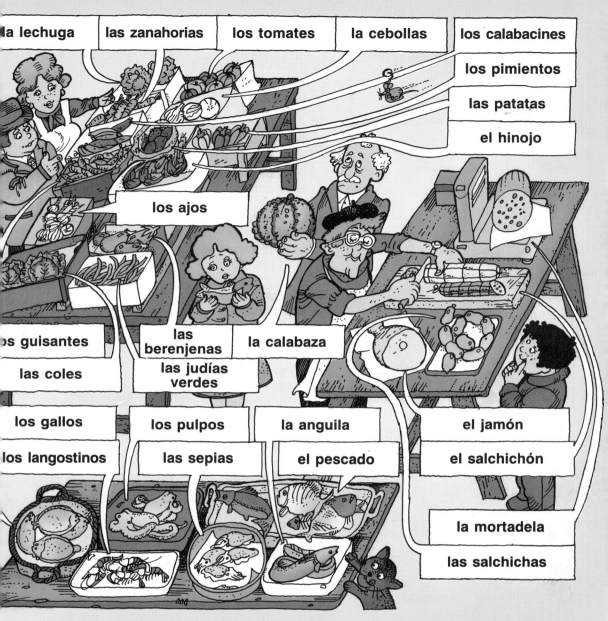

la lechuga | las zanahorias | los tomates | la cebollas | los calabacines

los pimientos

las patatas

el hinojo

los ajos

los guisantes | las berenjenas | la calabaza

las coles | las judías verdes

los gallos | los pulpos | la anguila | el jamón

los langostinos | las sepias | el pescado | el salchichón

la mortadela

las salchichas

En cada uno de estos cuatro grupos de palabras hay una que no guarda relación con las otras. Subráyala y ponla junto al grupo al que pertenece.

1. FRUTA: manzanas - melocotones - chocolate - uva - plátanos ....

2. PESCADO: gallos - sepias - anguila - pulpos - calabaza   ....

3. VERDURA: lechuga - langostinos - pimientos - guisantes - coles ....

4. DULCES: caramelos - rosquillas - sandía - bombones - pasteles ....

coger

pesar

envolver

pagar

regalar

mucho/poco

caro

barato

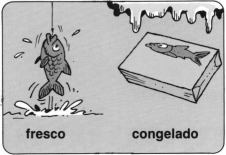

fresco   **congelado**

¿CUÁL ES LA RESPUESTA CORRECTA?

1. Es un sinónimo de dar:
☐ a) envolver
☐ b) pagar
☐ c) regalar

2. Puede ser fresco o congelado:
☐ a) el chocolate
☐ b) el pescado
☐ c) el pan

3. Lo vende el frutero:
☐ a) el ajo
☐ b) el plátano
☐ c) el helado

4. Es agrio y de color amarillo:
☐ a) el limón
☐ b) el chocolate
☐ c) la cebolla

5. Lo venden ya envuelto:
☐ a) la lechuga
☐ b) el caramelo
☐ c) el jamón

6. Es dulce:
☐ a) el langostino
☐ b) la mermelada
☐ c) el salchichón

7. Es una hortaliza:
☐ a) el bombón
☐ b) la sandía
☐ c) la lechuga

8. Lo venden en la pescadería:
☐ a) el pulpo
☐ b) los guisantes
☐ c) las zanahorias

9. Es un fruto tropical:
☐ a) la pera
☐ b) el melón
☐ c) la piña

10. Una cosa que cuesta poco es:
☐ a) cara
☐ b) fresca
☐ c) barata

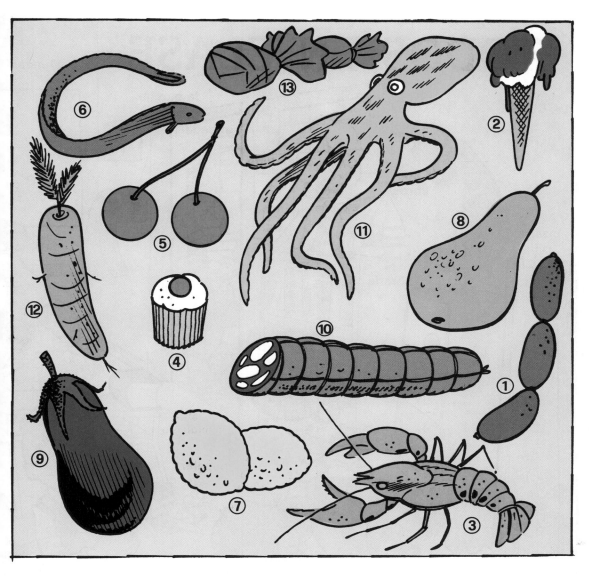

Completa el crucigrama según el orden que indican los números

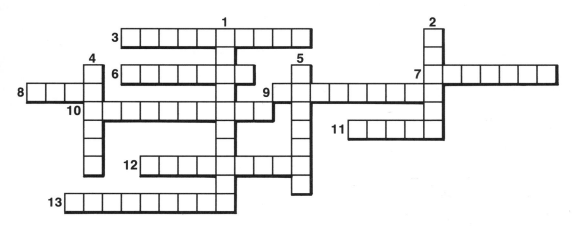

Completa este texto con las palabras correspondientes. Todas ellas las encuentras en esta página.

Hoy es el primer día de colegio. Este año tenemos una _ _ _ _ _ más grande, con más

_ _ _ _ _ _ _ para sentarnos y trabajar. El _ _ _ _ _ _ _ _ es el mismo del año pasado,

una persona buena e inteligente. Mi madre me ha comprado una _ _ _ _ _ _ _ _ nueva

para meter los _ _ _ _ _ _ nuevos y también el _ _ _ _ _ _ _ _ _ _ en el que escribo

y dibujo con los _ _ _ _ _ _ _ _. En la nueva clase hay un globo y un _ _ _ _ _ de Europa

para estudiar geografía. Las dudas las consultamos en el _ _ _ _ _ _ _ _ _ _ _ _ que

hay en la _ _ _ _ _ _ _ _ _, junto a la _ _ _ _ _ _ _ _ luminosa. Hoy es doce de

Septiembre, como señala el _ _ _ _ _ _ _ _ _ _ _.

leer

escribir

hablar

pensar

escuchar

estudiar

mirar

dibujar

fácil

difícil

EL CRUCIGRAMA

Partiendo de las palabras que ya están escritas, completa el crucigrama teniendo en cuenta el número de letras de cada palabra.

4 letras
- [ ] aula

5 letras
- [ ] globo
- [ ] lápiz
- [ ] silla
- [ ] banco
- [ ] libro
- [ ] fácil
- [ ] bedel
- [ ] mirar

6 letras
- [ ] diario
- [ ] alumno
- [ ] pensar

7 letras
- [ ] pizarra
- [ ] cartera
- [ ] dibujar

8 letras
- [x] escuchar
- [ ] escribir

48

Elige para cada una de estas viñetas una frase de las de abajo.

1. «Estoy cansada de estudiar.»

2. «Quiero leer este libro.»

3. «Éste es el mapa de América del Sur.»

4. «¿Oyes el pájaro?»

5. «Me gusta mucho dibujar.»

6. «¡No escribas en mi cuaderno!»

7. «¡Contesta a mi pregunta!»

8. «Es la hora de entrar en clase.»

LA OFICINA

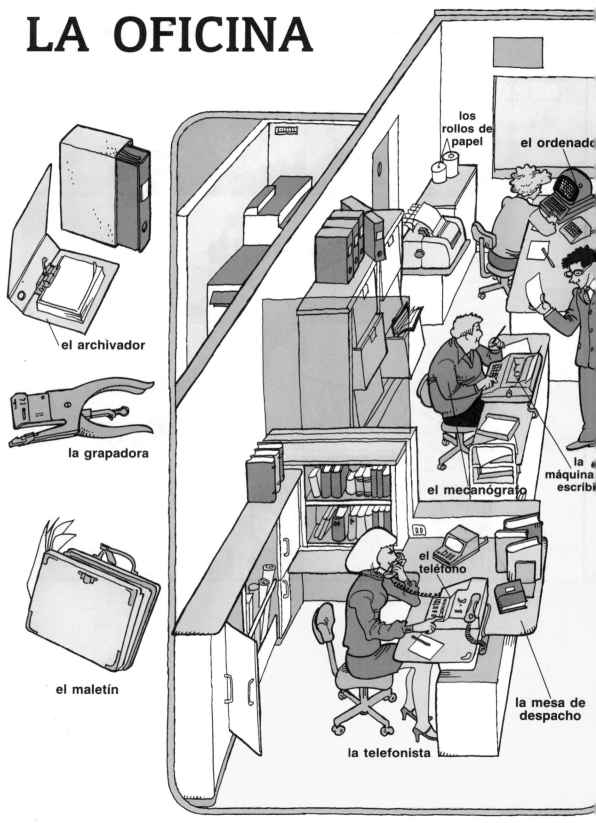

el archivador

la grapadora

el maletín

los rollos de papel

el ordenador

el mecanógrafo

la máquina de escribir

el teléfono

la mesa de despacho

la telefonista

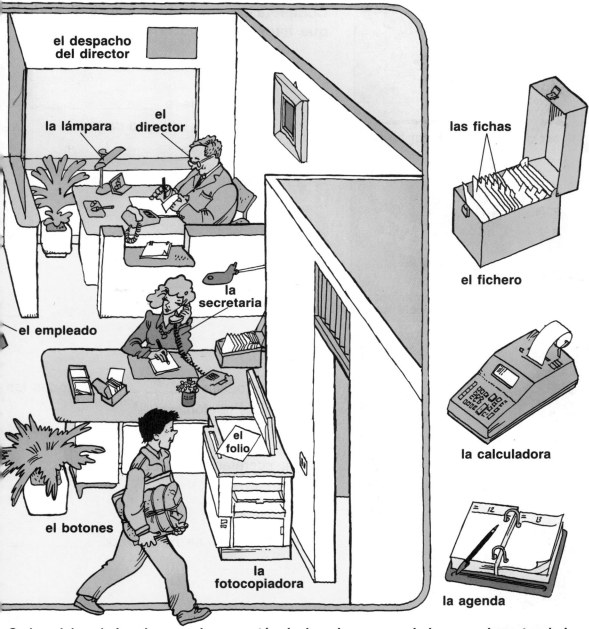

el despacho del director

la lámpara

el director

las fichas

el fichero

la secretaria

el empleado

la calculadora

el folio

el botones

la fotocopiadora

la agenda

Cada palabra de la primera columna está relacionada con una de la segunda y otra de la tercera. Lee atentamente todas y después une con una flecha las palabras que están relacionadas entre sí. *Ejem: 1-D-3*

1. el mecanógrafo	a) recibe	1. la empresa
2. el director	b) almacena	2. los folios
3. la telefonista	c) lleva	3. a máquina
4. la grapadora	d) escribe	4. los originales
5. el fichero	e) dirige	5. los paquetes
6. el botones	f) reproduce	6. las llamadas
7. la fotocopiadora	g) grapa	7. las fichas

ser puntual

llegar tarde

presentar

llamar por teléfono

escribir a máquina

estar cansado

sentarse

estar de pie

ir

venir

Completa las siguientes frases indicando lo que hace cada uno.

1. La mecanógrafa e _ _ _ _ _ _ a m _ _ _ _ _ _ una carta.

2. El empleado _ _ _ _ _ tarde.

3. El botones _ _ _ _ cansado de i _ y v _ _ _ _.

4. El director siempre llega a tiempo, _ _ p _ _ _ _ _ _ _.

5. La telefonista r _ _ _ _ _ todas las llamadas telefónicas.

6. La secretaria e _ _ _ _ _ _ _ _ la lámpara.

7. El cliente no se ha sentado, _ _ _ _ de _ _ _.

8. El director le p _ _ _ _ _ _ _ _ el cliente a la secretaria.

9. El cliente s _ _ _ _ _ _ _ porque está cansado.

10. El botones se ocupa de l _ _ _ _ _ _ los paquetes.

52

Completa el crucigrama con los nombres de las figuras que están dibujadas. La palabra escrita verticalmente te servirá de ayuda.

S
E
C
R
E
T
A
R
I
A

EL DESFILE DE MODA

la boina

el sombrero

la gabardina

el

la c
de

ci

la cazadora

los pantalones

el traje
de fiesta

los
zapatos de
tacón

la
corbata

las
botas

la
chaqueta

la cazadora
de piel

el
traje de
chaqueta

el gorro

los zapatos

el pañuelo

la camiseta

el jersey

el jersey de cuello alto

la blusa

el abrigo

los bermudas

la cinta

la camisa

las sandalias

la bufanda

los vaqueros

Completa las siguientes frases con las palabras que has aprendido en esta página usando el verbo «ponerse», conjugado convenientemente.

Ejem: Cuando llueve, la gente .... se pone la gabardina

1. Mi abuela, para no tener frío en la garganta ....

2. Yo, debajo del jersey ....

3. Los hombres, para cubrirse las piernas ....

4. Las mujeres también los usan pero, generalmente, ...

5. Cuando mi hermana va a algún baile importante ....

6. Yo, para que no se me caigan los pantalones, ...

7. En invierno, cuando salís a la calle ....

8. Mi hermano, cuando va en moto ....

SOPA DE LETRAS

Busca en esta sopa de letras las palabras que hay más abajo. Las puedes encontrar en horizontal, vertical y en diagonal, en ambos sentidos. Las letras que sobran, forman el nombre de otra prenda de vestir.

la seda

la lana

el algodón

la piel

la tela

la cremallera

los botones

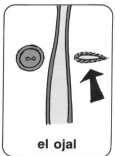

el ojal

vestirse

desvestirse

P	A	Ñ	U	E	L	O	C	C	C
A	T	A	B	R	O	C	I	S	A
N	B	L	U	S	A	N	A	E	M
T	A	U	Z	A	T	I	B	D	I
A	D	O	F	A	L	R	O	A	S
L	G	A	B	A	R	D	I	N	A
O	A	D	D	E	N	P	N	C	T
N	I	N	F	A	L	D	A	H	O
E	A	O	G	I	R	B	A	A	B
S	O	T	A	P	A	Z	E	L	L

_ _ _ _ _ _ _ _ _

_ _   _ _ _ _

☐ pañuelo   ☐ bufanda

☐ pantalones   ☐ cinta

☐ corbata   ☐ blusa

☐ zapatos   ☐ camisa

☐ sandalias   ☐ botas

☐ gabardina   ☐ chal

☐ falda   ☐ boina

☐ abrigo   ☐ seda

Comparando estas figuras con las de la página principal, indica lo que le falta a cada uno de estos personajes.

A. ....

....

B. ....

....

C. ....

....

D. ....

....

E. ....

....

F. ....

....

PREPOSICIONES Y ADVERBIOS

Completa las siguientes frases usando las preposiciones y los adverbios adecuados:

1. Los viajeros están bajando .... tren.

2. Las monedas están .... mi monedero.

3. Un señor va .... la calle .... las maletas en la mano mientras que los pasajeros ya se están subiendo .... tren.

4. El caballo se ha parado .... del paso a nivel mientras que un perro se ha subido .... del paquete.

5. Dos pájaros dan vueltas .... de la chimenea.

6. Los animales están .... las jaulas que hay .... a la sala de espera, ... de la chimenea.

59

**es la una
en punto**

**son las dos
y cinco**

**son las tres
y diez**

**son las cuatro
y cuarto**

**son las cinco
y veinte**

**son las seis
y media**

**son las siete
menos veinte**

**son las ocho
menos cuarto**

**son las nueve
menos diez**

**son las diez
menos cinco**

¿CÓMO SE DICE?

1. El tren llega
a) a las ocho
b) ocho
c) a ocho

2. Los chicos juegan
a) delante escuela
b) delante de la escuela
c) delante a la escuela

3. Hemos ido
a) a el cine
b) en cine
c) al cine

4. Héctor vive
a) de Madrid
b) a Madrid
c) en Madrid

5. Mamá siempre está
a) a casa
b) en casa
c) de la casa

6. Quiero hablar
a) con Nacho
b) en Nacho
c) encima de Nacho

7. He bajado
a) del avión
b) el avión
c) al avión

8. Mi casa está
a) lejos la escuela
b) lejos de la escuela
c) lejos de escuela

9. Te espero
a) fuera la tienda
b) fuera tienda
c) fuera de la tienda

10. Yo vivo
a) cerca en puerto
b) cerca del puerto
c) cerca puerto

1 D _ R _ I _

2 S _ L _ R de casa

3 A _ O _ T _ R _ E

4 T _ A _ A _ A _

5 L _ V _ N _ A _ S _

6 V _ L _ E _ a casa

7 D _ S _ Y _ N _ R

8 V _ R la televisión

9 C _ M _ R

Completa los verbos que hay bajo las viñetas añadiendo las letras que faltan. Después, escribe junto a cada reloj el número de la viñeta que corresponde a la hora indicada.

EN UNA ESTACIÓN DE ESQUÍ

los abetos

la piolet

el garfio

el refugio

la nieve

la pista de patinaje

el muñeco de nieve

el gorro

la mochila

el instructor

las gafas

el perro San Bernardo

los guantes

los bastones

el alpinista

las botas de esquia

los esquíes

la cumbre

el pico

la cadena
montañosa

el
funicular

la pista

la telesilla

el esquiador

el arrastre

la bufanda

el trineo

el bob

las bolas
de nieve

Lee atentamente las siguientes frases y marca con una cruz si lo que dicen es VERDADERO o FALSO.

	VERDADERO	FALSO
1. Los esquiadores usan esquíes y bastones	☐	☐
2. El refugio está en el centro del pueblo	☐	☐
3. El muñeco de nieve lleva botas y guantes	☐	☐
4. Los esquiadores esquían en la pista de patinaje	☐	☐
5. Los niños se divierten con el trineo	☐	☐
6. El alpinista usa la telesilla para subir a la montaña	☐	☐

esquiar

patinar

caerse

resbalar

ayudar

tener frío

temblar

calentarse

estornudar

nevar

SOPA DE LETRAS

Busca en esta sopa de letras las palabras que hay más abajo. Las puedes encontrar en horizontal, vertical y en diagonal. Las letras que sobran, forman el nombre de una importante cadena montañosa española.

M	O	C	H	I	L	A	L	O	O	N
S	P	A	T	I	N	A	R	A	T	E
T	R	I	N	E	O	P	■	Y	E	V
E	R	E	C	A	L	O	B	U	B	A
N	E	S	T	O	R	N	U	D	A	R
E	S	Q	U	I	A	R	F	A	G	C
R	B	U	E	I	■	P	A	R	A	A
F	A	I	R	V	I	I	N	B	F	E
R	L	E	N	S	E	E	D	O	A	R
I	A	S	T	O	S	I	A	B	S	S
O	R	A	L	U	C	I	N	U	F	E

___ ___ ___

___ ___ ___ ___ ___ ___ ___ ___

- ☐ gafas
- ☐ abeto
- ☐ esquiar
- ☐ caerse
- ☐ bola
- ☐ nieve
- ☐ pico
- ☐ bob
- ☐ ayudar
- ☐ tener frío
- ☐ mochila
- ☐ pista
- ☐ patinar
- ☐ esquíes
- ☐ bufanda
- ☐ estornudar
- ☐ funicular
- ☐ trineo
- ☐ nevar
- ☐ resbalar

Oscurece sólo los espacios cuyo número corresponda a objetos de los que están dibujados aquí al lado.

1. trineo
2. telesilla
3. funicular
4. cumbre
5. abeto
6. gorro
7. piolet
8. esquiador

9. muñeco de nieve
10. alpinista
11. bastones
12. bufanda
13. botas
14. gafas
15. guantes
16. esquíes

¿Qué es lo que ves? ....

LOS ANIMALES DOMÉSTICOS

el papagallo

la ardilla

el canario

el hámster

los gatitos

el gato

los peces de colores

la tortuga

el cachorro

el perro

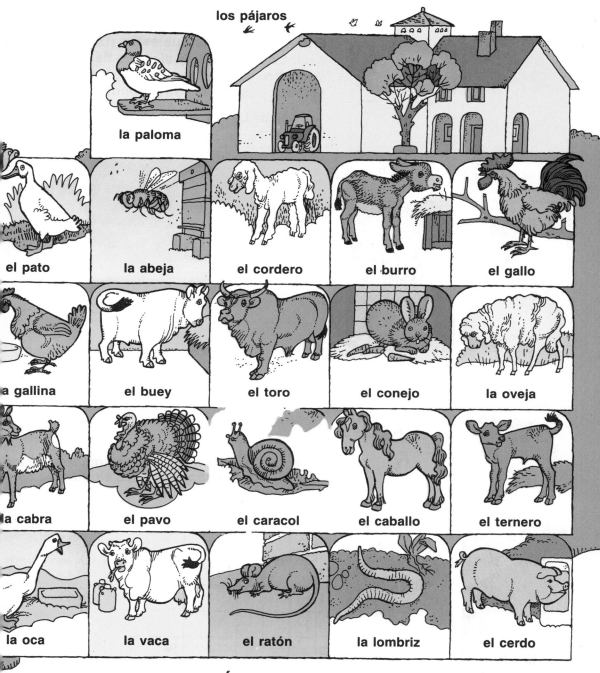

los pájaros

la paloma

el pato

la abeja

el cordero

el burro

el gallo

a gallina

el buey

el toro

el conejo

la oveja

la cabra

el pavo

el caracol

el caballo

el ternero

la oca

la vaca

el ratón

la lombriz

el cerdo

¿CÓMO SE LLAMA?

1. El insecto que hace la miel ....
2. El animal que nos da la lana
   ....
3. El pájaro amarillo ....
4. El animal que persigue a los ratones
   ....
5. El animal que nos da la leche
   ....
6. El animal que corre en los hipódromos
   ....
7. El hijo pequeño del perro
   ....
8. El símbolo de la paz ....
9. El hijo pequeño de la vaca ....
10. Es un gusano que lleva siempre su casa
    encima ....

el ala

el pico

la garra

las orejas

las colas

la trompa

la crin

los cuernos

los bigotes

las pezuñas

Entre los animales que están dibujados en la página de al lado, hay diez que tienen un error. Descubre cuáles son y escribe aquí debajo su nombre y su error correspondiente.

	ANIMAL	ERROR
1.	....	....
2.	....	....
3.	....	....
4.	....	....
5.	....	....
6.	....	....
7.	....	....
8.	....	....
9.	....	....
10.	....	....

Completa el esquema con los nombres de los animales que responden a las siguientes definiciones:

Crucigrama:
1. _ _ _ _ L L _
2. C _ _ _ _ _
3. _ _ C H _ _ _ _
4. B _ _ _
5. P _ _ _ _
6. _ _ _ _ N _
7. _ _ R _ _
8. _ _ _ O _
9. _ A _ _ _ _
10. _ _ _ J _ _
11. _ B _ _ _
12. G _ _ _ _

1. Tiene crin.
2. Nos da el jamón.
3. Un perro pequeño.
4. Tiene las orejas muy largas.
5. Ladra.
6. Pone huevos.
7. El pequeño de la vaca.
8. Ama el queso.
9. Odia a los ratones.
10. Nos da la lana.
11. Nos da la miel.
12. Canta por la mañana.

LOS ANIMALES SALVAJES

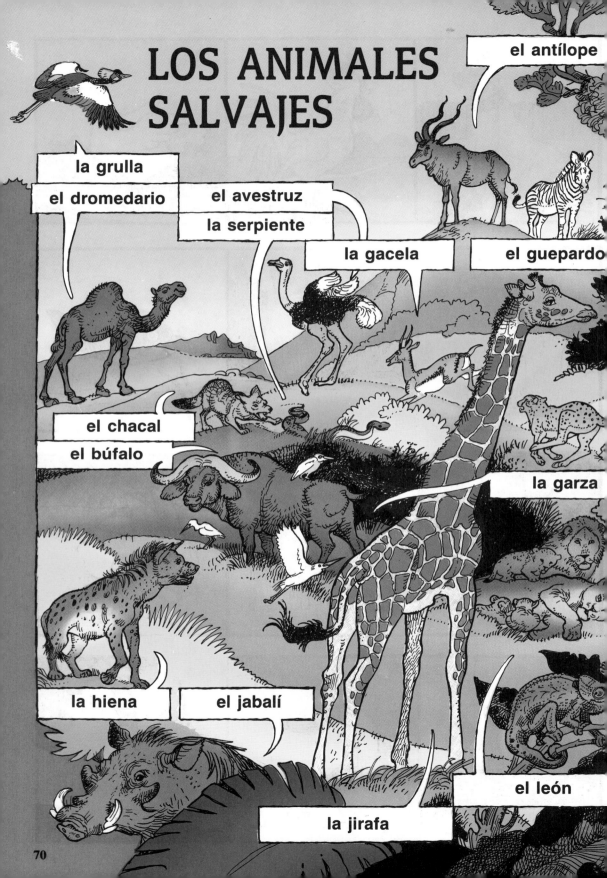

el antílope

la grulla

el dromedario

el avestruz

la serpiente

la gacela

el guepardo

el chacal

el búfalo

la garza

la hiena

el jabalí

el león

la jirafa

el mono

el hipopótamo

el elefante

la cebra

el rinoceronte

el gorila

el buitre

el cocodrilo

el leopardo

el camaleón

los flamencos

¿VERDADERO O FALSO?

1. El leopardo tiene rayas en la piel
....

2. El dromedario tiene dos jorobas
....

3. El león es un felino ....

4. Al hipopótamo no le gusta el agua
....

5. La piel del camaleón cambia de color
....

6. La cebra se parece al caballo
....

7. El rinoceronte tiene un cuerno encima del hocico ....

8. La jirafa tiene el cuello muy largo
....

9. El gorila es un pájaro ....

10. La garza tiene pico ....

tirarse

nadar

saltar

esconderse

reptar

perseguir

olfatear

rascarse

columpiarse

alimentar

Completa las siguientes frases con el verbo apropiado, conjugado convenientemente.

1. La serpiente r _ _ _ _ por la tierra

2. El cocodrilo n _ _ _ _ en el río

3. La hiena o _ _ _ _ _ _ _ sus presas

4. El mono s _ c _ _ _ _ _ _ _ _ entre las ramas

5. El buitre a _ _ _ _ _ _ _ _ a sus crías

6. El león p _ _ _ _ _ _ _ _ a las cebras

7. El avestruz e _ _ _ _ _ _ _ la cabeza en la arena

8. La gacela s _ _ _ _ y corre

9. El hipopótamo no puede c _ _ _ _ _- _ _ _ _ _ _

10. El elefante s _ r _ _ _ _ _ con los troncos de los árboles

11. El leopardo p _ _ _ _ _ _ _ _ a la gacela.

12. El mono s _ _ _ _ de rama en rama

13. El elefante no puede n _ _ _ _

14. El camello no sabe s _ _ _ _ _

¡Qué animal tan raro! En realidad, esta extraña criatura es el resultado de la unión de nueve animales diferentes. ¿Adivinas cuáles? Como ayuda, te indicamos el número de letras de cada palabra y te damos sus iniciales.

1. B _ _ _ _ _

2. F _ _ _ _ _ _ _

3. J _ _ _ _ _

4. C _ _ _ _

5. D _ _ _ _ _ _ _ _

6. A _ _ _ _ _ _ _ _

7. C _ _ _ _ _ _

8. C _ _ _ _ _ _ _

9. E _ _ _ _ _ _ _

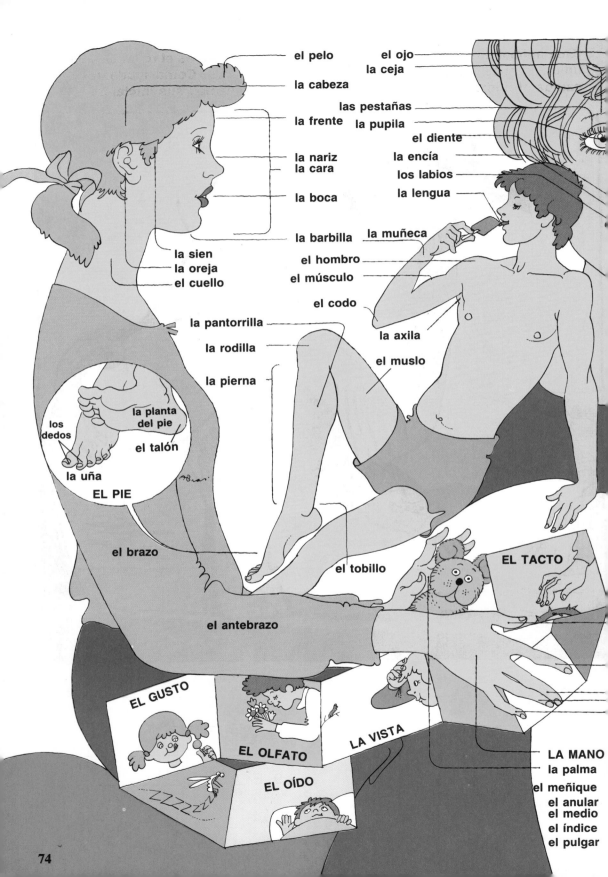

el pelo

el ojo
la ceja

la cabeza

las pestañas
la pupila

la frente

el diente

la nariz
la cara

la encía

los labios

la boca

la lengua

la barbilla

la muñeca

la sien
la oreja
el cuello

el hombro
el músculo

el codo

la pantorrilla

la axila

la rodilla

el muslo

la pierna

la planta
del pie

los
dedos

el talón

la uña

EL PIE

el brazo

el tobillo

EL TACTO

el antebrazo

EL GUSTO

EL OLFATO

LA VISTA

EL OÍDO

LA MANO

la palma

el meñique
el anular
el medio
el índice
el pulgar

74

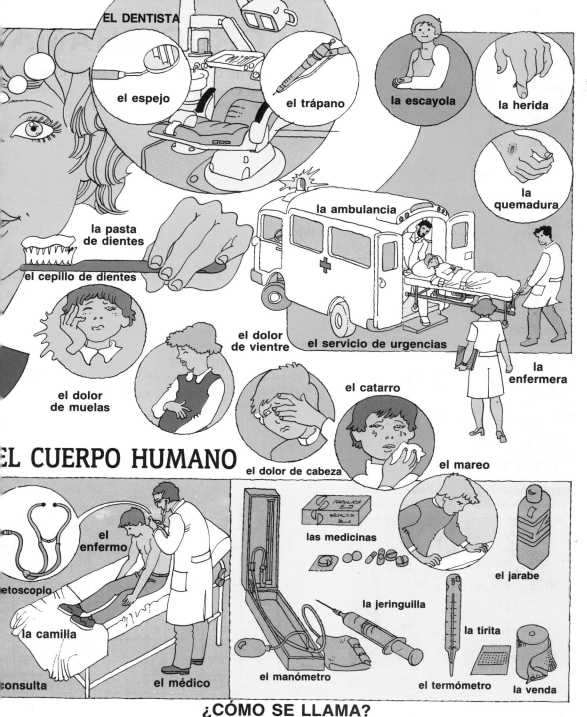

EL DENTISTA

el espejo

el trápano

la escayola

la herida

la quemadura

la ambulancia

la pasta de dientes

el cepillo de dientes

el dolor de vientre

el servicio de urgencias

la enfermera

el dolor de muelas

el catarro

EL CUERPO HUMANO

el dolor de cabeza

el mareo

el enfermo

las medicinas

el jarabe

etoscopio

la jeringuilla

la camilla

la tirita

consulta

el médico

el manómetro

el termómetro

la venda

¿CÓMO SE LLAMA?

1. La parte por donde se dobla el brazo ....

2. Nos sirve para gustar, para saborear las cosas ....

3. Se tiene cuando se va en coche o en barco ....

4. Por ahí doblamos la pierna ....

5. Es el dedo más gordo de la mano ....

6. Tenemos una en cada dedo ....

7. Nos sirve para oler ....

8. Sin ellos no podemos ver ....

gordo/delgado

guapo/feo

EL CRUCIGRAMA

Sirviéndote de las letras que ya están escritas, completa el crucigrama teniendo en cuenta el número de letras de cada palabra.

4 letras ☐ cara ☐ mano ☐ oído ☐ ceja

5 letras ☐ tacto ☐ gusto ☐ vista ☐ brazo ☐ muslo ☐ nariz ☐ talón ☐ encía ☐ axila

6 letras ☐ olfato ☐ anular ☐ pulgar ☐ índice ☐ herida ☐ lengua

7 letras ☐ tobillo ☐ catarro ☐ párpado ☐ músculo

8 letras ☐ barbilla ☐ escayola

fuerte/débil

alto/bajo

rubia/morena

liso/rizado

derecho/izquierdo

alegre/triste

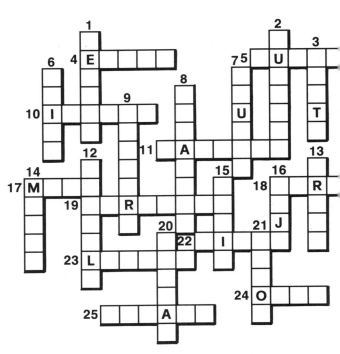

joven/anciano

largo/corto

Escribe aquí debajo el nombre de cada una de las partes del cuerpo que están representadas en estos quince dibujos, partiendo del pelo hasta llegar al pie.

1. _ _ _ _ _
2. _ _ _ _ _
3. _ _ _ _
4. _ _ _ _ _
5. _ _ _ _ _ _
6. _ _ _ _ _ _ _ _ _
7. _ _ _ _ _ _ _
8. _ _ _ _ _ _ _
9. _ _ _ _ _
10. _ _ _ _ _
11. _ _ _ _ _ _
12. _ _ _ _ _ _ _ _
13. _ _ _ _ _ _ _ _ _ _ _ _
14. _ _ _ _ _ _ _ _
15. _ _ _ _

De los siguientes adjetivos, sólo 4 se le pueden atribuir a este hombre. Descubre cuáles y completa con ellos el crucigrama.

GUAPO - DELGADO

FUERTE - FEO

BAJO - GORDO

DÉBIL - ALTO

LOS DEPORTES

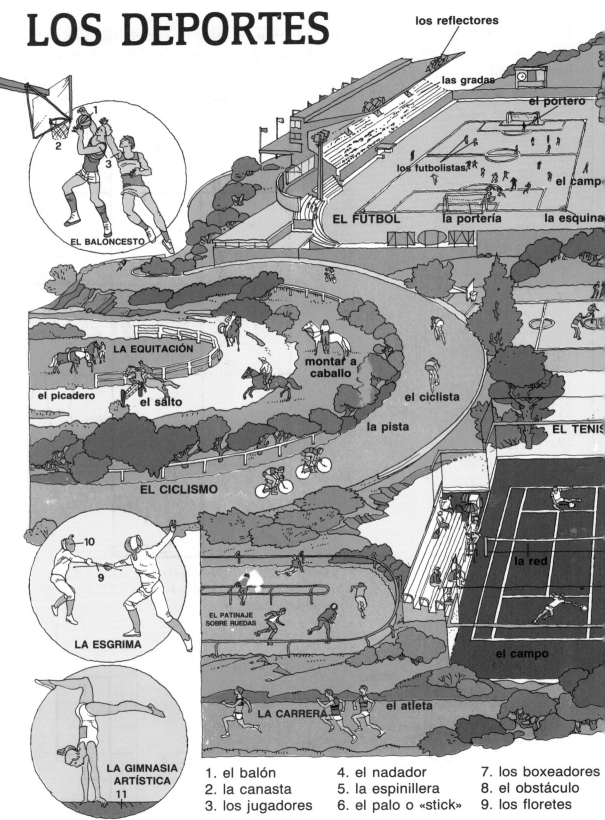

los reflectores

las gradas

el portero

los futbolistas

el camp

EL FUTBOL   la portería   la esquina

EL BALONCESTO

LA EQUITACIÓN

montar a caballo

el picadero

el salto

el ciclista

la pista

EL TENIS

EL CICLISMO

LA ESGRIMA

la red

EL PATINAJE SOBRE RUEDAS

el campo

LA CARRERA   el atleta

LA GIMNASIA ARTÍSTICA

1. el balón
2. la canasta
3. los jugadores
4. el nadador
5. la espinillera
6. el palo o «stick»
7. los boxeadores
8. el obstáculo
9. los floretes

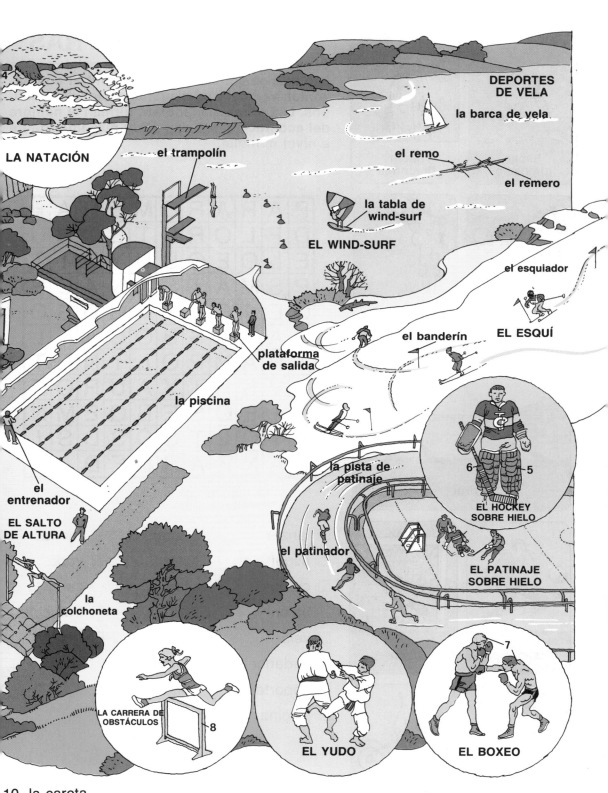

LA NATACIÓN

DEPORTES DE VELA

la barca de vela

el trampolín

el remo

el remero

la tabla de wind-surf

EL WIND-SURF

el esquiador

el banderín

EL ESQUÍ

plataforma de salida

la piscina

la pista de patinaje

6 — 5

EL HOCKEY SOBRE HIELO

el entrenador

EL SALTO DE ALTURA

el patinador

EL PATINAJE SOBRE HIELO

la colchoneta

LA CARRERA DE OBSTÁCULOS

8

EL YUDO

7

EL BOXEO

10. la careta
11. el aparato

hacer gimnasia

hacer flexiones

lanzar

recoger

tirar

LA SOPA DE LETRAS

Busca en esta sopa de letras las palabras que hay más abajo. Las puedes encontrar en horizontal, vertical y en diagonal, en los dos sentidos. Las letras que sobran, forman el nombre del acontecimiento deportivo más importante a nivel mundial.

P	A	R	A	R	O	M	E	R	A	F
D	F	L	O	R	E	T	E	O	N	U
E	L	O	E	O	D	U	Y	D	I	T
P	S	M	A	T	S	A	N	A	C	B
O	E	J	C	U	E	N	G	D	S	O
R	A	C	A	S	B	O	O	A	I	L
T	R	A	M	P	O	L	I	N	P	T
E	V	S	P	I	X	A	U	R	O	E
L	I	E	O	S	E	B	Q	E	M	N
P	I	C	L	T	O	O	S	D	S	I
L	A	N	Z	A	R	U	E	D	A	S

☐ lanzar ☐ parar ☐ ruedas
☐ esquí ☐ tenis ☐ yudo
☐ campo ☐ fútbol ☐ canasta
☐ balón ☐ boxeo ☐ trampolín
☐ vela ☐ florete ☐ red
☐ nadador ☐ remo ☐ sacar
☐ deporte ☐ pista
☐ piscina ☐ remero

sacar

parar

levantar

apuntar

__ __ __ __ __ __ __ __ __

__ __ __ __ __ __ __ __ __ __

Completa los nombres de estos deportes. En los recuadros en blanco que hay más abajo tienes que poner, junto al nombre del deporte, la letra que ves escrita en su símbolo correspondiente. De este modo obtendrás el nombre de una competición atlética compuesta de cinco pruebas.

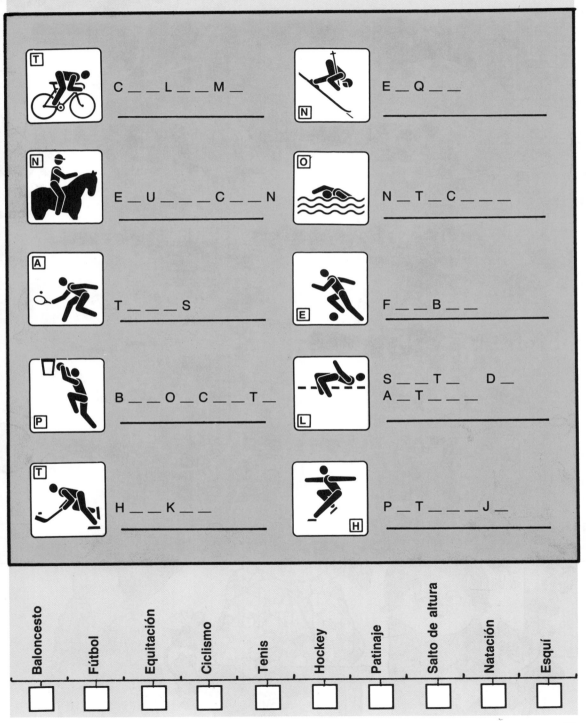

C _ _ L _ _ M _

E _ Q _ _ _

E _ U _ _ _ C _ _ N

N _ T _ C _ _ _

T _ _ _ S

F _ _ B _ _

B _ _ O _ C _ _ T _

S _ _ T _   D _
A _ T _ _ _

H _ _ K _ _

P _ T _ _ _ J _

Baloncesto   Fútbol   Equitación   Ciclismo   Tenis   Hockey   Patinaje   Salto de altura   Natación   Esquí

TIEMPO DE VERANO

acampar

dormir

recoger conchas

escala

fotografiar

cabalgar

escuchar música

leer

hacer gimnasia

pintar

pedalear

tocar un instrumento

remar

tomar el sol

nadar

pescar

pasear

ir de merienda

buscar hongos

Completa las siguientes frases con el verbo adecuado y conjugado convenientemente.

1. Carlos y Ana   e _ _ _ _ _ _ _ _   música

2. Pilar y tú   h _ _ _ _ _   g _ _ _ _ _ _ _ _   todos los días

3. Me gusta ir en barca y   r _ _ _ _ _

4. Los domingos, mis hermanos y yo   p _ _ _ _ _ _ _ _   por el parque

5. En el verano, la gente   t _ _ _   el sol

6. Héctor está   d _ _ _ _ _ _ _ _ _   debajo de un árbol

7. Nacho   t _ _ _   muy bien la guitarra

el amanecer

el atardecer

**el día/
la noche**

el sol

la luna

las estrellas

las nubes

el mar

la hamaca

la sombrilla

¿CÚAL ES EL VERBO APROPIADO?

1. Cuando acampamos, **dormimos/paseamos/fotografiamos** en la tienda.

2. Cora **cabalga/rema/busca** hongos en el bosque.

3. Jesús, tumbado en la arena, **nada/toma/busca** el sol.

4. El que hace equitación, **pedalea/escala/cabalga** por el campo.

5. Manolo, con sus lápices y sus pinceles, **pasea/lee/pinta** paisajes.

6. Almudena y Javier, sentados en la hierba, **leen/pescan/nadan** un libro.

Escribe en la primera columna los verbos que están relacionados con las palabras de la segunda. Te damos como ayuda la inicial de cada verbo y también el número de letras de cada uno.

1. P _ _ _ _ _   PECES

2. D _ _ _ _ _   CAMA

3. R _ _ _ _   BARCA

4. P _ _ _ _ _ _ _ _   BICICLETA

5. P _ _ _ _ _   PAISAJE

6. L _ _ _   LIBRO

7. R _ _ _ _ _ _   CONCHAS

8. E _ _ _ _ _ _ _   MONTAÑA

Completa este texto poniendo las letras que faltan en los espacios en blanco y escribiendo el nombre de lo que indican los dibujos.

En   v _ r _ n _   el   _ _ _   nos da

más   c _ l _ r   y es bonito

_ _ _ _ _ _ _   junto al

m _ r.   Aquí se puede   p _ s _ _ r,

_ _ _ _ _ _   _ _   _ _ _   y

n _ d _ r   desde el   _ _ _ _ _ _ _ _ _

hasta el   a _ _ r _ _ c _ r.   Sin embargo, si hay

_ _ _ _ _,   es mejor

l _ _ r   o   p _ s _ a _.   Durante el verano,

se puede   d _ r _ i _   bajo las   _ _ _ _ _ _-
_ _ _ _ _,

a la luz de la   _ _ _ _ _,

sin tener   f _ í _   y luego, despertarse

con el canto de los   _ _ _ _ _ _ _.

Vocabulario

Todas las palabras que han sido ilustradas en este libro, las hemos agrupado por orden alfabético en la siguiente lista. ¿Te acuerdas de lo que significa cada palabra? Si te has olvidado de alguna, te indicamos, junto a cada palabra, la página en la que se encuentra su ilustración correspondiente.

A

abajo 59
abeja 67
abetos 62
abrigo 55
acampar 83
aceite 35
acera 10,58
acostarse 32
adelantar 20
aduana 19
adverbios 58
aeropuerto 14
agenda 51
agua 18
ajos 43
al 58
ala 15,68
albañil 23
alegre 76
alfombra 31
algodón 56
alimentar 72
alpinista 62
alrededor 58
alto 76
alumno 46
ama de casa 23
amanecer 84
amarillo 8
ambulancia 75
ancho 28
anciano 76
andar 12
andén 14
anguila 43
animales 66,70
antebrazo 74
antena 10
antiguo 26
antílope 70
anular 74
aparato 79
aparcamiento 11,15
aparcar 12
apoya-brazos 15
apuntar 80
arrastre 63
árboles 6
archivador 50
ardilla 66
armario 30,31
armarios-consigna 14
arquitecto 23
arreglar 24

arriba 59
arroyo 6
atardecer 84
aterrizar 16
ático 26
auto-stop 20
autobús 14,18,20
autopista 10,18
autoservicio 34
auxiliar de vuelo 15
avestruz 70
avión 15
axila 74
ayudar 64
ayuntamiento 10
azafata 15
azul 8
azul celeste 8

B

bahía 6
bajar 16
bajo 76
balanza 39
balcón 26
balón 78
baloncesto 78
bancos 47
bandeja 15,35
banderín 79
bañera 31
barato 44
barbilla 74
barca de vela 79
barrendero 23
bastones 62
baúl 18
beber 36
bebidas 34,38
bedel 46
berenjenas 43
bermudas 55
bidón 18
bigotes 68
billetes 34
blanco 8
blusa 55
bob 63
boca 74
boina 54
bolas de nieve 63
bolígrafo 46
bolsa 38
bolsa de papel 18

bolsa de plástico 18
bolsa de viaje 18
bolso 18,39
bombones 42
borrador 46
bosque 7,27
botas 54
botas de esquiar 62
botellas 39
botones 22,51,56
boxeadores 78
boxeo 79
brazo 74
buey 67
búfalo 70
bufanda 55,63
buhardilla 26
buitre 71
burro 67
buscar hongos 83

C

cabalgar 82
caballo 67
cabaña 27
cabeza 74
cabra 67
cachorro 66
cadena montañosa 63
caerse 64
café 35
caja 18,38
cajera 22,34,39
cajones 46
calabacines 43
calabaza 43
calculadora 51
calendario 46
calentarse 64
caliente 28
calle 11,12
cama 31
camaleón 71
camarera 22,35
camarero 22,35
camilla 75
camino 6
camión 15,18,19
camión-cisterna 19
camionero 23
camioneta 19
camisa 55
camiseta 55
campanario 10

campo 27,78
campo cultivado 6
canario 66
canasta 78
capataz 23
cara 74
caracol 67
caramelos 42
careta 79
carne 38
carnicería 40
caro 44
carpintero 23
carrera 78
carrera de obstáculos 79
carril de emergencia 18
carro 38
carro porta-equipajes 14
carta 12
cartel 39
cartera 18,47
cartero 22
casa 6,30
casa de campo 26
cascada 6
castañas 42
castillo 27
catarro 75
cazadora 54
cazadora de piel 54
cebollas 43
cebra 71
ceja 74
cementerio 10
cepillo 31
cepillo de dientes 75
cerca 58
cerdo 67
cerezas 42
cesta de mimbre 18
chacal 70
chal 54
chaqueta 54
chaqueta de punto 54
charca 7
chimenea 27,30
chocolate 42
chupa-chups 42
ciclismo 78
ciclista 78
cielo 7
cinco 60
cinta 55
cinturón 54
cisterna 31

ciudad 10
claro 28
clase 46
cliente 35
clientes 39
coche 19
coche de bomberos 15
cocina 30
cocinar 36
cocinero 22,35
cocodrilo 71
codo 74
coger 20,44
cola 34
colas 68
colchoneta 79
coles 43
colina 6
columpiarse 72
comer 36
comida 35
compartimento 15
comprar 24
con 58
conducir 20
conductor de autobuses 23
conejo 67
confitería 40
congelado 44
congelados 39
consulta 75
control de peaje 19
copa 34
corbata 54
cordero 67
correr 12
cortar 36
cortina 30
corto 28,76
costa 7
cremallera 56
crin 68
cruce 19
cruzar 12
cuaderno 47
cuadrado 28
cuadro 30
cuarto 60
cuarto de baño 31
cuatro 60
cuchara 34
cucharilla 34
cuchillo 34
cuello 74
cuernos 58,68
cuerpo humano 75
cumbre 6,63
cúpula 11

D

de 59
debajo 59
débil 76
dedos 74
del 59
delante 59
delgado 76
dentista 75
dentro de 58
dependiente 39
deportes 78
deportes de vela 79
deportista 23
derecho 76
desembocadura 7
desfile de moda 54
desordenado 28
despacho 50
despertarse 32
desvestirse 56
detrás 59
día 84
diario 47
dibujar 48
diccionario 46
diente 74
dientes 31
diez 60
difícil 48
dinero 34,38
director 22,51
dirigir 24
distintos 26
dolor de cabeza 75
dolor de muelas 75
dolor de vientre 75
domésticos 66
dormir 82
dormitorio 31
dos 60
dromedario 70
ducha 31
dulce 35

E

echar 12,24,36
edificio 10,26
electricista 22
elefante 71
empleado 22,51
empleado de gasolinera 23
empujar 24
en 58
encía 74
encima 58
encontrarse 12
enfermera 75
enfermo 75
entrada 31,38
entre 58
entrenador 79
envolver 44
equipaje 15
equitación 78
escalar 82
escaleras 31
escalinata 10
escalones 31
escayola 75
escollos 7
esconderse 72
escaparate 10
escribir 48,52
escritorio 31
escuchar 48
escuchar música 83
escuela 11
esgrima 78
espejo 75
esperar 12
espinillera 78
esponja 30
esquí 79
esquiador 63,79
esquiar 64
esquíes 62
esquina 78
estación de esquí 62
estación de ferrocarril 11,14
estación de servicio 10
estantes 39
estar a régimen 36
estar cansado 52
estar de pie 52
estetoscopio 75
estornudar 64
estrecho 28
estrellas 84
estudiar 48

F

fácil 48
falda 55
farmacia 40
farola 11,14
felpudo 31
feo 76
fichas 51
fichero 51
flamencos 71
flexiones 80
flor 6
floretes 78
floristería 40
folio 51
fontanero 23
fotocopiadora 51
fotografiar 12,82
fregadero 30
frente 74
fresas 42
fresco 44
frigorífico 30
frío 28
frontera 19
fruta 34,35,39
frutería 40
fuente 10
fuera 31
fuera de 58
fuerte 76
funicular 63
furgoneta 18,38
fútbol 78
futbolistas 78

G

gabardina 54
gacela 70
gafas 62
galería 27
gallina 67
gallo 67
gallos 43
garaje 27,31
garfio 62
garra 68
garza 70
gasolina 24
gatitos 66
gato 66
gimnasia 80
gimnasia artística 78
globo 47
gordo 76
gorila 71
gorro 54,62
gradas 78
grande 28
grandes almacenes 11
granja 27
grapadora 50
grifos 31
gris 8
grulla 70
guantes 62
guapo 76
guepardo 70
guisantes 43
gusto 74

H

hablar 48
hacer 16,80
hacer gimnasia 83
hamaca 84
hambre 36
hámster 66
hangar 15
helado 42
herida 75
herrero 23
hiena 70
higos 42
hinojo 43
hipopótamo 71
hockey sobre hielo 79
hoja 6
hombro 74
horizonte 7

hortalizas 39
hotel 27

I

iglesia 6,10
indicadores 10
índice 74
ingeniero 23
instructor 62
ir 52
ir de merienda 83
isla 7
istmo 7
izquierdo 76

J

jabalí 70
jamón 43
jarabe 75
jardín 30
jardinero 22
jaula 18,58
jeep 18
jeringuilla 75
jersey 55
jersey de cuello alto 55
jirafa 70
joven 76
judías verdes 43
jugadores 78
junto 59

L

labios 74
lago 6
laguna 27
lámpara 30,31,51
lana 56
langostinos 43
lanzar 80
lápices 47
largo 28,76
lata 34
latas de conserva 39
lavarse 32
lechera 22
lechuga 43
leer 48,83
lejos 58
lengua 74
lento 20
león 70
leopardo 71
letrero 10
levantar 80
levantarse 32
librería 30,40,46
libros 46
limones 42
limpio 28
liso 76
llamar 20,52

llanura 7
llegar 16
llegar tarde 52
llevar 24
locomotora 14
lombriz 67
luminosa 46
luna 84

M

macedonia 35
maestro 46
maleta 15,16,18
maletín 18,50
mandil 35
mano 74
manómetro 75
mantel 34
manzanas 42
mapa 46
máquina 52
máquina de escribir 50
mar 7,84
mareo 75
marquesina 14,27
marrón 8
masticar 36
matas 6
mecánico 23
mecanógrafa 22
mecanógrafo 50
media 60
medicinas 75
médico 75
medio 74
melocotones 42
melón 42
meñique 74
menú 34
mercancías 15
mermelada 42
mesa 30,34,46,50
mesilla de noche 31
mirar 48
mochila 62
moderno 26
monedas 34
monedero 18,38
mono 71
montaña 6,27
montar a caballo 78
monumento 10
morena 76
mortadela 43
mostrador 35,39
motel 27
moto 19
mozo 14,22
muchas 28
mucho 44
muñeca 74
muñeco de nieve 62

mural 47
músculo 74
museo 12
muslo 74

N

nadador 78
nadar 72,83
naranjas 42
nariz 74
natación 79
naturaleza 6
negro 8
nevar 64
nevera 30
nieve 6,62
niñera 22
noche 84
nubes 84
nueve 60
nuevo 28

O

obrero 23
obstáculo 78
oca 67
ocho 60
oficina 50
oído 74
ojal 56
ojo 74
olas 7
olfatear 72
olfato 74
ordenado 28
ordenador 22,50
oreja 68,74
oscuro 28
oveja 67

P

pagar 44
pájaros 67
palma 74
palo 78
pan 34,42
panadería 40
panadero 23
pantalones 54
pantorrilla 74
pañuelo 55
papagallo 66
papelera 46
paquete 38,58
parada 14
parada del autobús 11
paragüero 31
parar 80
pared 31,32
pasajero 14

pasaporte 16
pasear 83
pasillo 15,31
paso a nivel 58
paso de cebra 11
paso subterráneo 11
pasta de dientes 75
pasteles 42
patatas 43
patinador 79
patinaje 62
patinaje sobre hielo 79
patinaje sobre ruedas 78
patinar 64
pato 67
pavo 67
peces de colores 66
pedalear 83
peine 31
pelo 31,74
pendiente 6
pensar 48
peón 23
pequeño 28
peras 42
percha 46
perro 66
perro San Bernardo 62
perseguir 72
persiana 31
pesar 44
pescadería 40
pescado 43
pescar 83
pestañas 74
pezuñas 68
piano 30
picadero 78
pico 63,68
pie 74
piel 56
pierna 74
piloto 15
piña 42
pintar 83
piolet 62
piscina 26,79
piso 11,26
pista 14,62,63,78
pista de patinaje 79
pizarra 46
planta 31
planta baja 11
planta del pie 74
plantas 38
plataforma de salida 79
plátanos 42
plato 30,34
playa 6
pocas 28
poco 44
policía municipal 22
por 58

portería 78
portero 78
pórtico 27
prado 6
precio 39
preposiciones 58
presentar 52
primer 11
pimientos 43
proyectar 24
pueblo 6
puente 18
puerta 31,32
pulgar 74
pulpos 43
punto 60
pupila 74

Q

quemadura 75
quiosco 10,40
quitamiedos 18

R

ramas 6
rancho 26
rápido 20
rascacielos 10,26
rascarse 72
ratón 67
recoger 80
recoger conchas 82
red 78
redondo 28
reflectores 78
refugio 62
regalar 44
remar 83
remero 79
remo 79
remolque 19
reptar 72
resbalsar 64
revisor 14
rinoceronte 71
río 6
rizado 76
rocas 6
rodilla 74
rojo 8
rollos de papel 50
ropa 40
rosa 8
rosquillas 42
roulotte 18

rubia 76

S

sacacorchos 35
sacar 80
saco 18
salchichas 43
salchichón 43
salida 38
salir 16
salón 30
saltar 72
salto 78
salto de altura 79
saludar 16
salvajes 70
sandalias 55
sandía 42
secretaria 22,51
sed 36
seda 56
segundo 11
seis 60
semáforos 14
señal de tráfico 11,19
sentarse 52
sepias 43
ser puntual 52
serpiente 70
servicio de urgencias 75
servilleta 35
servilletero 35
servir 36
seto 6
siete 60
silla 30,34,46
sillón 30
sin 58
sofá 30
sol 84
sombrero 54
sombrilla 84
subir 16
sucio 28
suelo 32
supermercado 38

T

tabla de wind-surf 79
tacto 74
talón 74
taquilla 14
tartas 42
taxi 20
taxista 22

taza 30,31
teatro 11
técnico 22
tejado 27,32
tela 56
telefonista 22,50
teléfono 50,52
telesilla 63
televisión 22
televisor 30
temblar 64
tenedor 34
tener 36
tener frío 64
tenis 78
termo 18
termómetro 75
ternero 67
terraza 11,26
tiempo 82
tienda 10,40
timbre 31,32
timón de dirección 15
tipos 26
tirar 12,24,80
tirarse 72
tirita 75
tizas 46
tobillo 74
tocar 32
tocar un instrumento 83
tomar el sol 83
tomates 43
toro 67
torre 10
torre de control 14
tortuga 66
trabajando 22
trabajar 24
tráfico 24
traje de chaqueta 54
traje de fiesta 54
trampolín 79
trápano 75
tren 11,14
tres 60
trineo 63
triste 76
trompa 68

U

último 11
una 60
uña 74
uva 42

V

vaca 67
vagones 14
vaqueros 55
vaso 34
veinte 60
venda 75
vender 24
venir 52
ventanas 32
ventanillas 15
verano 82
verde 8
vestirse 56
viaducto 18
viajar 16
viaje 18
vías 14
viejo 28
villa 26
vinagre 35
violeta 8
visitar 12
vista 74
vivienda 26
volar 16

Y

yudo 79

Z

zanahorias 43
zapatos 54
zapatos de tacón 54

SOLUCIONES

Página 7: 1. nieve, 2. lago, 3. istmo, 4. hoja.

Página 8: 1. b, 2. c, 3. a, 4. b, 5. a, 6. c, 7. c, 8. b.

Página 9: El cielo es azul celeste. En la cumbre de la montaña hay nieve. Un río baja de la montaña y atraviesa la llanura. Hay muchos árboles verdes. Entre las matas se ven flores rojas.

Página 10-11: 1. acera, 2. quiosco, 3. escalinata, 4. paso de cebra, 5. aparcamiento, 6. grandes almacenes.

Página 12: 1. campanario, 2. paso de cebra, 3. cementerio, 4. escaparate, 5. escuela, 6. monumentos, 7. rascacielos, 8. tiendas, 9. correr, 10. quiosco, 11. esperar, 12. andar.

Página 13: visitar un museo, fotografiar, echar la carta, encontrarse, andar, aparcar, tirar, cruzar. *Valencia.

Página 16: *Juego A*: 1. subir, 2. aterrizar, 3. aeropuerto, 4. vagones, 5. pasajero, 6. semáforo, 7. pista. *Barajas.

Juego B: 1. maleta, 2. pasaporte, 3. volar, 4. locomotora, 5. hangar, 6. alas. *Atocha.

Página 17: He hecho la maleta y he cogido el pasaporte; ahora voy a coger un autobús para ir al aeropuerto. Me gusta mucho mirar por la ventanilla del avión y hablar con la azafata que es siempre tan amable. Me gustaría ser un piloto o trabajar en la torre de control. ¡Oh, no! Se me ha olvidado el billete!

Página 19: Me gusta mucho ir de viaje. Mi padre tiene un coche muy grande en el que podemos meter varias cajas, dos maletas, la jaula del pájaro y el baúl. Va tan lleno que parece un camión. Luego cogemos la autopista y hacemos un viaje tranquilo, atravesando puentes y viaductos, sin la preocupación de los cruces o de los semáforos.

Página 21: Kilómetros.

Página 23: herrero/carpintero/jardinero/panadero/lechera/niñera/electricista/cartero.

Página 24: ¿En qué trabaja tu padre? *Es arquitecto.* ¿Y el tuyo? El mío trabaja en una estación de servicio. *O sea, en una gasolinera.* Sí, pero no le gusta su trabajo. *¿Que le gustaría hacer?* Le gusta mucho viajar... *¿Y por qué no se hace conductor de autobuses?* ¡Eso sí que le gustaría! *¿Y tu madre?* Mi madre es ama de casa. *Pues la mía escribe a máquina.* ¿Es mecanógrafa? *Sí, en una oficina.* ¿Le gusta? *Sí, está contenta.*

Página 25: 1. El arquitecto proyecta el edificio con la regla y la escuadra. 2. El mecánico arregla el motor del coche con la llave. 3. El empleado de la gasolinera tiene un distribuidor con el que echa gasolina a los coches. 4. El ama de casa hace la compra en el supermercado y la mete en la bolsa. 5. El policía municipal dirige el tráfico de la ciudad usando el silbato.

Página 27: 1. castillo, 2. terraza, 3. rascacielos, 4. motel, 5. garaje, 6. chimenea.

Página 28: 1. nueva, 2. pequeña, 3. desordenada,

4. limpio, 5. muchos, 6. cuadrada, 7. corto, 8. fría, 9. ancho, 10. oscura.

Página 29: 1. terraza, 2. edificio, 3. galería, 4. cabaña, 5. piscina, 6. laguna, 7. castillo, 8. garaje, 9. balcón, 10. granja, 11. motel, 12. marquesina, 13. bosque, 14. rascacielos.

Página 30-31: Cocina: frigorífico-fregadero-cocina. Entrada: escalera-paragüero/alfombra. Fuera: escalones-felpudo-timbre. Cuarto de baño: bañera-ducha-peine. Dormitorio: escritorio-cama-mesilla de noche. Salón: sillón-chimenea-sofá.

Página 32: Librería.

Página 33: 1. La lámpara está debajo del televisor, 2. La taza está al lado de la planta, 3. El peine está sobre la cortina, 4. El cepillo está entre la planta y el televisor, 5. El cepillo de dientes está debajo del sofá.

Página 35: Hoy he ido a comer a un autoservicio con mis padres. Como había muchos clientes, hemos tenido que hacer cola. Luego, mi padre ha pagado en la caja y cada uno ha cogido una bandeja con plato, cuchillo, cuchara y tenedor. Después hemos elegido la comida y nos hemos sentado en una mesa.

Página 36: 1. falso, 2. falso, 3. verdadero, 4. verdadero, 5. falso, 6. falso, 7. falso, 8. verdadero, 9. verdadero, 10. verdadero, 11. falso, 12. verdadero.

Página 37: la caja, el pan, el aceite y el vinagre, el vaso, el cuchillo, la cuchara, el menú, la servilleta, el camarero, el tenedor.

Página 39: 1. en el monedero, 2. en la caja, 3. en los estantes, 4. el cliente, 5. el vendedor.

Página 40: *Juego A*: 1-D, 2-F, 3-A, 4-I, 5-H, 6-J, 7-B, 8-C, 9-E, 10-G.

Juego B: 1. caja, 2. balanza, 3. dinero, 4. medicinas, 5. clientes, 6. confitería, 7. frutas, 8. monedero, 9. pescadería. *Alimentos.

Página 43: 1. FRUTA: manzanas, melocotones, uva, plátanos, sandía. 2. PESCADO: gallos, sepias, anguila, pulpos, langostinos. 3. VERDURA: lechuga, pimientos, guisantes, coles, calabaza. 4. DULCES: caramelos, rosquillas, bombones, pasteles, chocolate.

Página 44: 1. c, 2. b, 3. b, 4. a, 5. b, 6. b, 7. c, 8. a, 9. c, 10. c.

Página 45: 1. salchichas, 2. helado, 3. langostino, 4. pastel, 5. cerezas, 6. anguila, 7. limones, 8. pera, 9. berenjena, 10. salchichón, 11. pulpo, 12. zanahoria, 13. caramelos.

Página 47: Hoy es el primer día de colegio. Este año tenemos una clase más grande, con más bancos para sentarnos y trabajar. El maestro es el mismo del año pasado, una persona buena e inteligente. Mi madre me ha comprado una cartera nueva para meter los libros nuevos y también el cuaderno en el que escribo y dibujo con los lápices. En la nueva clase hay un globo y un mapa de Europa para estudiar geografía. Las dudas las consultamos en el diccionario que hay en la librería, junto a la pizarra luminosa. Hoy es doce de Septiembre, como señala el calendario.

Página 48: 1. silla, 2. pensar, 3. lápiz, 4. cartera, 5. alumno, 6. bedel, 7. banco, 8. globo, 9. escribir, 10. mirar, 11. escuchar, 12. diario, 13. aula, 14. fácil, 15. dibujar, 16. pizarra, 17. libro.

Página 49: 1. B, 2. D, 3. G, 4. H, 5. E, 6. F, 7. A, 8. C.

Página 51: 1-D-3, 2-E-1, 3-A-6, 4-G-2, 5-B-7, 6-C-5, 7-F-4.

Página 52: 1. la mecanógrafa escribe a máquina una carta. 2. El empleado llega tarde. 3. El botones está cansado de ir y venir. 4. El director siempre llega a tiempo, es puntual. 5. La telefonista recibe todas las llamadas telefónicas. 6. La secretaria enciende la lámpara. 7. El cliente no se ha sentado, está de pie. 8. El director le presenta el cliente a la secretaria. 9. El cliente se sienta porque está cansado. 10. El botones se ocupa de llevar sus paquetes.

Página 53: máquina de escribir, teléfono, fichero, agenda, maletín, grapadora, archivador, fotocopiadora, calculadora. *Secretaria.

Página 55: 1. Mi abuela, para no tener frío en la garganta se pone la bufanda. 2. Yo, debajo del jersey me pongo la camisa. 3. Los hombres, para cubrirse las piernas se ponen los pantalones. 4. Las mujeres también los usan pero generalmente se ponen una falda. 5. Cuando mi hermana va a algún baile importante se pone el traje de fiesta. 6. Yo, para que no se me caigan los pantalones, me pongo un cinturón. 7. En invierno, cuando salís a la calle os ponéis el abrigo. 8. Mi hermano, cuando va en moto se pone la cazadora de piel.

Página 56: *Cazadora de piel.

Página 57: A. la cazadora - las botas, B. la gabardina - los zapatos de tacón, C. el sombrero - el abrigo, D. el traje de chaqueta, E. el pañuelo - la chaqueta de punto, F. la camisa, la corbata.

Página 59: 1. Los viajeros están bajando del tren. 2. Las monedas están dentro de mi monedero. 3. Un señor va por la calle con las maletas en la mano mientras que los pasajeros ya se están subiendo al tren. 4. El caballo se ha parado cerca del paso a nivel mientras que un perro se ha subido encima del paquete. 5. Dos pájaros dan vueltas alrededor de la chimenea. 6. Los animales están en las jaulas que hay junto a la sala de espera, debajo de la chimenea.

Página 60: 1. a, 2. b, 3. c, 4. c, 5. b, 6. a, 7. a, 8. b, 9. c, 10. b.

Página 61: 1. dormir, 2. salir de casa, 3. acostarse, 4. trabajar, 5. levantarse, 6. volver a casa, 7. desayunar, 8. ver la televisión, 9. comer.
A 5, B 7, C 2, D 4, E 9, F 6, G 8, H 3, I 1.

Página 63: 1. verdadero, 2. falso, 3. falso, 4. falso, 5. verdadero, 6. falso.

Página 64: *Los Pirineos.

Página 65: Un esquiador.

Página 67: 1. abeja, 2. oveja, 3. canario, 4. gato, 5. vaca, 6. caballo, 7. cachorro, 8. paloma, 9. ternero, 10. caracol.

Página 68: *Juego A*: 1. perro - garra, 2. gallo - orejas, 3. caballo - cuernos, 4. caracol - cola, 5. pez - pico, 6. tortuga - bigotes, 7. gallina - pezuñas, 8. conejo - alas, 9. vaca - trompa, 10. cordero - crin.

Juego B: 1. caballo, 2. cerdo, 3. cachorro, 4. burro, 5. perro, 6. gallina, 7. ternero, 8. ratón, 9. gato, 10. oveja, 11. abeja, 12. gallo.

Página 71: 1. falso, 2. falso, 3. verdadero, 4. falso, 5. verdadero, 6. verdadero, 7. verdadero, 8. verdadero, 9. falso, 10. verdadero.

Página 72: 1. la serpiente repta por la tierra, 2. el cocodrilo nada en el río, 3. la hiena olfatea sus presas, 4. el mono se columpia entre las ramas, 5. el buitre alimenta a sus crías, 6. el león persigue a las cebras, 7. el avestruz esconde la cabeza en la arena, 8. la gacela salta y corre, 9. el hipopótamo no puede columpiarse, 10. el elefante se rasca con los troncos de los árboles, 11. el leopardo persigue a la gacela, 12. el mono salta de rama en rama. 13. el elefante no puede nadar, 14. el camello no sabe saltar.

Página 73: 1. búfalo, 2. flamenco, 3. jirafa, 4. cebra, 5. dromedario, 6. avestruz, 7. camaleón, 8. cocodrilo, 9. elefante.

Página 75: 1. codo, 2. lengua, 3. mareo, 4. rodilla, 5. pulgar, 6. uña, 7. nariz, 8. ojos.

Página 76: 1. herida, 2. músculo, 3. tacto, 4. encía, 5. gusto, 6. axila, 7. anular, 8. escayola, 9. catarro, 10. índice, 11. párpado, 12. tobillo, 13. brazo, 14. muslo, 15. nariz, 16. ceja, 17. mano, 18. cara, 19. barbilla, 20. pulgar, 21. talón, 22. vista, 23. lengua, 24. oído, 25. olfato.

Página 77: *Juego A*: 1. pelo, 2. ceja, 3. ojo, 4. nariz, 5. diente, 6. barbilla, 7. cuello, 8. hombro, 9. codo, 10. mano, 11. muslo, 12. rodilla, 13. pantorrilla, 14. tobillo, 15. pie.

Juego B: 1. gordo, 2. fuerte, 3. feo, 4. alto.

Página 80: *Los juegos olímpicos.

Página 81: ciclismo, equitación, tenis, baloncesto, hockey, esquí, natación, fútbol, salto de altura, patinaje, pentathlon.

Página 83: 1. Carlos y Ana escuchan música, 2. Pilar y tú hacéis gimnasia todos los días, 3. Me gusta ir en barca y remar, 4. Los domingos, mis hermanos y yo paseamos por el parque, 5. En el verano, la gente toma el sol, 6. Héctor está durmiendo debajo de un árbol, 7. Nacho toca muy bien la guitarra.

Página 84: *Juego A*: 1. Cuando acampamos dormimos en la tienda. 2. Cora busca hongos. 3. Jesús, tumbado en la arena, toma el sol. 4. El que hace equitación, cabalga por el campo. 5. Manolo, con sus lápices y sus pinceles, pinta paisajes. 6. Almudena y Javier, sentados en la hierba, leen un libro.

Juego B: 1. pescar, 2. dormir, 3. remar, 4. pedalear, 5. pintar, 6. leer, 7. recoger, 8. escalar.

Página 85: En verano el sol nos da más calor y es bonito acampar junto al mar. Aquí se puede pescar, tomar el sol y nadar desde el amanecer hasta el atardecer. Sin embargo, si hay nubes, es mejor, leer o pasear. Durante el verano, se puede dormir bajo las estrellas a la luz de la luna, sin tener frío y luego, despertarse con el canto de los pájaros.

Índice

La naturaleza   6

La ciudad   10

El aeropuerto y la estación de ferrocarril   14

De viaje   18

Trabajando   22

Los distintos tipos de vivienda   26

La casa   30

El autoservicio   34

El supermercado   38

El mercado   42

Todos en clase   46

La oficina   50

El desfile de moda   54

Preposiciones y adverbios   58

En una estación de esquí   62

Los animales domésticos   66

Los animales salvajes   70

El cuerpo humano   74

Los deportes   78

Tiempo de verano   82

Vocabulario   87

Soluciones   91